VACANCES DANS LE COMA

Frédéric Beigbeder est né en 1965. Romancier, feuille-toniste au *Figaro magazine* et directeur de la rédaction du magazine *Lui*, il est notamment l'auteur de *L'amour dure trois ans* (1997), qu'il a porté à l'écran en 2012, *99 francs* (2000) adapté au cinéma en 2007, *Windows on the World* (2003, prix Interallié), *Au secours pardon* (2007), adapté au cinéma en 2016 sous le titre *L'Idéal*, et *Un roman français* (2009, prix Renaudot).

D0736211

FRÉDÉRIC BEIGBEDER

Vacances dans le coma

ROMAN

Nouvelle édition relue et corrigée par l'auteur

GRASSET

ISBN : 978-2-253-14070-2 – 1re publication LGF

Pour Diane B.,
Je suis tombé,
La bouche bée.

« Let's dance
The last dance
Tonight
Yes it's my last chance
For romance
Tonight. »

Donna Summer, Last Dance,
Casablanca Records.

« Les deuxièmes romans s'écrivent dans
un état second. »

Moi.

19 h 00

« Il se recoiffe, met ou enlève sa veste ou son écharpe ainsi qu'on lance une fleur dans une tombe encore entrouverte. »

JEAN-JACQUES SCHUHL,
Rose Poussière.

Marc Marronnier a vingt-sept ans, un bel appartement, un boulot marrant et pourtant il ne se suicide pas. C'est à n'y rien comprendre.

On sonne à sa porte. Marc Marronnier aime pas mal de trucs : les photos du *Harper's Bazaar* américain, le whiskey irlandais sans glace, l'avenue Vélasquez, une chanson (« God only knows » des Beach Boys), les religieuses au chocolat, un livre (*Les Deux Veuves* de Dominique Noguez) et l'éjaculation tardive. Les sonneries à la porte ne font pas partie de ses trucs.

« Monsieur Marronnier ? lui demande un groom avec un casque de moto.
— En personne.
— C'est pour vous. »
Le groom avec un casque de moto (on dirait « Spirou au Bol d'or ») lui tend une enveloppe d'environ un mètre carré en trépignant d'impatience comme s'il avait envie de pisser. Marc prend l'enveloppe et lui donne une pièce de dix francs pour qu'il disparaisse de sa vie. Car Marc

Marronnier n'a pas besoin d'un groom avec un casque de moto dans sa vie.

Dans l'enveloppe, il n'est pas du tout étonné de trouver ceci :

UNE NUIT AUX CHIOTTES
★ ★ ★ ★ ★ ★ ★ ★ ★ ★ ★ ★ ★ ★
Grand Bal Inaugural
Place de la Madeleine
Paris

mais en revanche il est assez surpris de trouver cela, agrafé au carton d'invitation :

« À ce soir vieux pédé !
Joss Dumoulin
Disc-Jockey »

JOSS DUMOULIN ? Marc le croyait définitivement exilé au Japon. Ou mort.

Mais les morts ne donnent pas de soirées dansantes.

Alors Marc Marronnier se recoiffe avec la main, ce qui marque chez lui un certain contentement intérieur. Il faut dire que ça fait un bout de temps qu'il l'attend, cette « nuit aux Chiottes ». Depuis un an, il passe tous les jours devant les travaux de construction de ce nouveau club, « la plus grande boîte de nuit de Paris ». Et, à chaque passage, il se dit qu'à l'inauguration, il y aura quantité de belles gonzesses.

Marc Marronnier veut leur plaire. C'est peut-être pour cela qu'il porte des lunettes. Quand il les a sur le nez, ses collègues de bureau trouvent qu'il ressemble à William Hurt, en plus moche.

(NB : De Louis-le-Grand date sa myopie et de Sciences po sa scoliose.)

C'est officiel : Marc Marronnier aura des rapports sexuels ce soir, quoi qu'il arrive. Boudins ou pas. Il fera peut-être même la chose avec plusieurs personnes, qui sait? Il a prévu six capotes, car il est un garçon ambitieux.

Marc Marronnier sent qu'il va mourir, dans une quarantaine d'années. Il n'a pas fini de nous embêter.

Traître mondain, rebelle d'appartement, mercenaire sur papier glacé, bourgeois honteux, sa vie consiste à écouter des messages sur son répondeur et à en laisser sur d'autres répondeurs. Tout ça en regardant trente chaînes en même temps sur la mosaïque du câble. Il en oublie parfois de manger pendant quelques jours.

Le jour de sa naissance, c'était déjà un has-been. Il est des pays où l'on meurt vieux; à Neuilly-sur-Seine, on naît vieux. Déjà blasé avant d'avoir vécu, il cultive aujourd'hui ses échecs. Par exemple, il se vante d'écrire des bouquins de cent feuillets tirés à trois mille exemplaires. « Puisque la littérature est morte, je me contente d'écrire pour mes amis », éructe-t-il dans les soupers, en finissant les verres de ses voisines. Il ne faut pas désespérer Neuilly-sur-Seine.

Chroniqueur-nocturne, concepteur-rédacteur, journaliste-littéraire : Marc n'exerce que des métiers aux noms composés. Il ne peut rien faire entièrement. Il refuse de choisir une vie plutôt qu'une autre. De nos jours, selon lui, « tout le monde est fou, on n'a plus le choix qu'entre la schizophrénie et la paranoïa : soit on est plusieurs à la fois, soit on est seul contre tous ». Or, comme tous les caméléons (Fregoli, Zelig, Thierry Le Luron), s'il y a une chose qu'il déteste, c'est bien la solitude. Voilà pourquoi il y a plusieurs Marcs Marronniers.

Delphine Seyrig est décédée en fin de matinée et maintenant il est sept heures du soir. Marc a retiré ses lunettes pour se laver les dents. On vient de vous dire qu'il est instable de nature.

Marc Marronnier est-il heureux ? En tout cas, il n'est pas à plaindre. Il dépense beaucoup d'argent par mois et n'a pas d'enfants. C'est sûrement ça, le bonheur : n'avoir aucun problème. Pourtant, quelquefois, il lui arrive de sentir comme un souci dans le ventre. L'embêtant, c'est qu'il est inca- pable de savoir lequel. C'est une Angoisse Non Identifiée. Elle le fait pleurer devant des mauvais films. Sans doute lui manque-t-il quelque chose, mais quoi ? Dieu merci, cela finit toujours par se dissiper.

En attendant, ça va lui faire drôle de revoir Joss Dumoulin, après tout ce temps. Joss Dumoulin – « *the million dollars deejay* », a titré *Vanity Fair* le mois dernier : un vieux copain qui a réussi. Marc ne sait pas si cela lui fait vraiment plaisir, qu'il soit devenu aussi célèbre. Il se sent comme un sprinter resté coincé dans les starting-blocks, en train de regarder son copain monter sur le podium, sous les acclamations de la foule.

Joss Dumoulin, pour résumer, est le maître du monde, puisqu'il exerce la profession la plus importante du monde dans la ville la plus puissante du monde : c'est le meilleur disc-jockey de Tokyo.

Est-il vraiment nécessaire de rappeler comment les disc-jockeys ont pris le pouvoir ? Dans une société hédoniste aussi superficielle que la nôtre, les citoyens du monde entier ne s'intéressent qu'à une chose : la fête. (Le sexe et le fric étant, implicitement, inclus là-dedans : le fric permet la fête qui permet le sexe.) Or les disc-jockeys la contrôlent totalement. Les boîtes de nuit ne leur suffisent plus, ils lancent la culture « rave », et font danser le peuple dans les hangars, les parkings, les chantiers, les terrains vagues. Ce sont eux qui ont assassiné le rock, en inventant coup sur coup le rap et la house. Ils dominent les Top 50 le jour et les clubs la nuit. Il devient difficile de les éviter.

Les disc-jockeys remixent nos existences. Personne ne leur en fait grief : quitte à confier le pouvoir à quelqu'un, un disc-jockey est au moins aussi qualifié qu'un acteur de cinéma ou un ancien avocat. Après tout, pour gouverner, il suffit d'avoir une bonne oreille, un minimum de culture, et de savoir enchaîner.

C'est un drôle de métier, disc-jockey. Entre le prêtre et la prostituée. Il faut tout donner à des gens qui ne vous rendront rien. Passer des disques pour que les autres puissent danser, rigoler, draguer la jolie fille en robe moulante. Puis rentrer seul chez soi avec ses disques sous le bras. Disc-jockey est un dilemme. Un DJ n'existe qu'à travers les autres : il pique les musiques des autres pour faire danser d'autres autres. C'est un mélange de Robin des Bois (qui vole pour offrir) et de Cyrano (qui vit par procuration). Bref, le métier le plus important de notre temps est un métier qui rend fou.

Joss Dumoulin n'a pas gâché sa jeunesse à l'IEP comme Marc. À vingt ans, il a foncé au Japon avec pour seul bagage les trois F de la réussite : Fainéantise, Frime, Festivités. Pourquoi le Japon ? Parce que, disait-il : « Quitte à prendre une année sabbatique quelque part, autant se diriger vers le pays le plus riche. On rigole toujours mieux là où ya le pognon. »

Évidemment, l'année de Joss a tourné en vie sabbatique. En peu de temps, il est devenu la mascotte des nuits nippones. Ses soirées au Juliana's finissent, paraît-il, horriblement bien. Il faut dire qu'il est tombé au bon moment : Tokyo découvre les joies de la décadence capitaliste. Les ministres y sont de plus en plus corrompus, les étrangers de plus en plus nombreux. La jeunesse dorée tokyoïte n'arrive pas à dépenser tout l'argent de ses parents. Bref, Marc Marronnier n'a pas choisi la bonne voie.

Il lui a rendu visite, une fois. Il peut en témoigner : il suffit que Joss Dumoulin entre au Gold et soudain les mecs se mettent à renifler bruyamment ou à manger des petits morceaux de buvard.

Quant aux filles, elles s'improvisent geishas sur son passage. Marc a des Polaroïds dans ses tiroirs susceptibles de le prouver.

Joss Dumoulin a tout fait à la place de Marc Marronnier. Il a tiré toutes les filles qu'il n'ose pas aborder. Pris toutes les drogues qu'il craint d'essayer. Joss est le contraire de Marc ; c'est peut-être pour ça qu'ils s'entendaient si bien, dans le temps.

Marc ne boit que des boissons gazeuses : Coca-Cola le matin, Guronsan l'après-midi, vodka-soda le soir. Il se remplit de bulles toute la journée. En reposant son verre d'Alka-Seltzer (une fois n'est pas coutume), il repense à la baie de Tokyo, à cet océan si Pacifique.

Il se souvient de cette nuit au Love and Sex, le dernier étage du Gold, où une dizaine d'amis de Joss lutinaient une chinetoque aussi ingénue que menottée. C'est là, après avoir pris son tour, que Marc a fait la connaissance de la femme de Joss. On en apprend tous les soirs.

Marc n'a pas de chance : ses parents sont en pleine forme. Chaque jour, ils dilapident un peu plus de son héritage. Alors que le sampler digital, une machine inventée au milieu des années quatre-vingt, a fait de Joss Dumoulin un homme riche et célèbre. Le sampler permet de piquer les meilleurs passages de n'importe quel morceau de musique pour les recycler à la chaîne sur des tubes de « dance ». Grâce à cette invention, les disc-jockeys, qui n'étaient auparavant que de vagues juke-boxes humains, sont devenus des musiciens à part entière. (Comme si les bibliothécaires se mettaient à écrire des livres, ou les conservateurs de musée à peindre des tableaux.) Joss l'a vite compris : rapidement, ses productions ont envahi le marché des boîtes de nuit japonaises, donc mondiales. Il lui suffit de puiser tout ce qui plaît dans sa discothèque, puis de le resservir à son public noctambule. Il assimile les réactions, abandonne ce qui ne les fait pas danser, recopie ce qui marche. Il progresse à tâtons : il n'existe pas de meilleur panel commercial qu'une piste de danse. Et voilà comment on devient une star internationale, pendant que votre vieux pote poursuit ses études inutiles.

Le succès commercial ne s'est pas fait attendre. C'est Joss qui a mélangé le premier des cris d'oiseaux et des chœurs mésopotamiens : le disque fut numéro un dans trente pays, dont le Sri-Lanka et la CEI. Puis Joss a lancé la bossa-soukouss sur une mélodie tirée des *Variations Goldberg* : mégahit programmé en rotation accélérée sur MTV Europe. Marc en rit encore, de cet été où il fallait danser en tirant les seins des filles, à cause du clip de la bossa-soukouss de Dumoulino (sponsorisé par Orangina).

Et ainsi de suite : la fortune de Joss s'est bâtie très vite. Georges Guétary interprète les chants traditionnels israéliens habillé par Jean-Paul Gaultier ? C'est Joss qui le produit : vingt-trois semaines en tête du top albums français. Le concept de techno-gospel ? Joss. L'instrumental mixant le saxophone d'Archie Shepp et un solo de batterie de Keith Moon (mais si, vous savez, cet instrumental qui a démodé l'acid-jazz) ? Encore Joss. Le duo Sylvie Vartan-Johnny Rotten ? Toujours

Joss. En ce moment (Marc l'a lu dans l'article de *Vanity Fair*, où Joss s'est fait tirer le portrait par Annie Leibovitz, noyé sous un tas de bandes magnétiques), il prépare un remix de crash d'Airbus A320 avec la voix de Petula Clark chantant « Don't sleep in the subway, darling », ainsi qu'une version grunge des discours du maréchal Pétain, et un concert unique à Wembley de Luciano Pavarotti accompagné par le groupe AC/DC. Il a du pain sur la planche. Son imagination kleptomane ne connaît pas de limites, ni ses ventes de disques compacts. Joss Dumoulin a compris son époque : il ne fabrique que des collages.

Or voilà qu'en plus Joss organise l'inauguration des Chiottes, la boîte dont tout Paris attend l'ouverture. Cela n'est pas un scoop : Joss se déplace dans le monde entier pour des soirées. Et pas n'importe où : au Club USA (New York), au Pacha (Madrid), au Ministry of Sound (Londres), au 90° (Berlin), au Baby-O (Acapulco), au Bash (Miami), au Roxy (Amsterdam), au Mau-Mau (Buenos Aires), à l'Alien (Rome) et, bien sûr, au Space (Ibiza). Des décors variés où gigotent sensiblement les mêmes gens, selon les saisons. Marc est un peu aigri mais décide de prendre les choses du bon côté. Après tout, Joss pourra lui présenter les plus jolies filles du bal. Du moins, toutes celles dont il ne voudra pas.

Marc dispose d'un réseau d'informateurs : copines très attachées de presse et star-fuckers appointés. Au téléphone, ils lui confirment que Les Chiottes ont bien été construites dans d'anciennes toilettes publiques. On a installé une cuvette de W-C géante sur la place de la Madeleine. Un rouleau de papier rose de deux mètres de hauteur fait office de dais au-dessus de l'entrée. Le principal attrait de ce nouvel endroit va révolutionner la nuit parisienne : ils ont fabriqué une piste de danse circulaire totalement submersible, en forme de lunette de W-C, équipée d'une chasse d'eau gigantesque qui plonge les danseurs dans un flot tourbillonnant à un horaire tenu secret. Marc apprend aussi qu'on n'a volontairement prévenu les invités que le soir même, au dernier moment, pour préserver l'effet de surprise. Il pense que la plupart des gens intéressants parviendront, comme par hasard, à se libérer de leurs multiples engagements.

Et pourtant, il y a l'embarras du choix, ce soir. La table basse de Marc est couverte de possibilités : une performance lors d'un vernissage rue des Beaux-Arts (le peintre devrait se couper les deux mains vers 21 heures), un dîner à l'Arc en l'honneur du demi-frère d'un copain du bassiste de Lenny Kravitz, un bal costumé dans les anciennes usines Renault d'Issy-les-Moulineaux pour le lancement d'un nouveau parfum (« À la Chaîne » de Chanel), un concert privé à la Cigale du groupe anglais qui monte (The John Lennons), une soirée sexy chez Denise sur le thème « Lesbiennes hérérosexuelles déguisées en drag-queens avec cuir » et une rave-party à l'Élysée. Malgré cela, Marc sait que dans toute la ville, la seule question du moment est : « Allez-vous aux Chiottes ce soir ? » (Le non-initié risque de répondre de travers, trahissant d'un seul coup son ignorance et des problèmes personnels.)

Marc joue les fiers-à-bras dans sa salle de bains. Ce soir, il va embrasser des filles sans avoir été présenté. Il va coucher avec des gens qu'il ne connaîtra pas, avec qui il n'aura pas préalablement dîné quinze fois en tête à tête.

Il n'impressionne personne, surtout pas lui-même. Au fond, il sait bien qu'il cherche la même chose que tous ses amis : retomber amoureux.

Il saisit une chemise blanche et une cravate marine à pois blancs, se rase puis s'asperge d'eau de toilette, hurle de douleur et sort de chez lui. Il refuse de céder à la panique.

Il pense : « Il faut tout mythifier parce que tout est mythique. Les objets, les lieux, les dates, les gens sont des mythes en puissance, il suffit de leur décréter une légende. Toute personne ayant habité Paris en 1940 deviendra un personnage de Modiano. Quiconque a mis les pieds dans un bar londonien en 1965 aura couché avec Mick Jagger. Au fond, être mythique n'est pas sorcier : il faut juste attendre son tour. Carnaby Street, les Hamptons, Greenwich Village, le lac d'Aiguebelette, le faubourg Saint-Germain, Goa, Guéthary, le Paradou, Mustique, Phuket : emmerdez-vous sur le moment, et vingt ans plus tard, vantez-vous d'y avoir été. Le temps est un sacrement. Vous vous faites chier dans la vie ? Attendez un peu de devenir un mythe. » La marche à pied donne à Marc Marronnier de ces idées étranges.

Le plus dur, c'est d'arriver à être mythique et vivant *en même temps*. Joss Dumoulin y est peut-être parvenu.

Un mythe vivant met-il ses mains dans ses poches ? Porte-t-il une écharpe en cachemire ? Accepte-t-il de passer « une nuit aux Chiottes » ?

Marc vérifie qu'il n'est pas dans une zone d'appel pour Bi-Bop. Non, aucun sigle tricolore à portée de vue. Il ne faut donc pas s'inquiéter. Il est normal que son téléphone ne sonne pas. Marc restera injoignable pendant encore six cents mètres.

Autrefois, il sortait tous les soirs, pas seulement pour raisons professionnelles. Il lui arrivait parfois de croiser un certain Jocelyn du Moulin (eh oui, à l'époque, il se nommait ainsi ; sa particule n'a disparu que récemment : il fait partie de la fausse roture).

Il fait beau, donc Marc se met à chanter « Singing in the rain ». Cela vaut toujours mieux que de fredonner « Le lundi au soleil » sous la pluie. (Surtout qu'on est vendredi.)

Paris est un faux décor de cinéma. Marc Marronnier aimerait mieux que tout y soit *vraiment* en carton-pâte. Il préfère le faux Pont-Neuf, celui qu'a fait construire Leos Carax en rase campagne, au vrai, celui qu'a emballé Christo. Il voudrait que toute cette ville soit volontairement factice au lieu de se prétendre réelle. Elle est bien trop belle pour être vraie ! Il voudrait que les ombres qu'il aperçoit derrière les fenêtres soient des silhouettes cartonnées mues par un système de courroies électriques. Malheureusement la Seine contient de l'eau liquide, les immeubles sont vraiment en pierre de taille et les passants qu'il croise ne sont pas des figurants rémunérés. Les trucages sont ailleurs, mieux planqués.

Marc voit moins de monde, ces derniers temps. Il trie. On appelle ça : vieillir. Il déteste, même s'il paraît que c'est un phénomène courant.

Ce soir il va draguer des filles. Pourquoi n'est-il pas pédé ? C'est assez surprenant, connaissant son milieu décadent, ses occupations soi-disant créatives et son goût pour la provocation. Justement : c'est là que le bât blesse. Être gay aujourd'hui lui paraît trop conformiste. La solution de facilité. En plus, il a horreur des êtres poilus.

Il faut se rendre à l'évidence, Marronnier est le genre de type qui porte des cravates à pois et drague des filles.

Il était une fois lui et le reste du monde. C'est juste un type qui marche sur le boulevard Malesherbes. Désespérément banal, c'est-à-dire unique. C'est lui qui se dirige vers la soirée de l'année. Vous le reconnaissez ? Il n'a rien d'autre à faire. Il est d'un optimisme impardonnable. (Il faut dire que les flics ne contrôlent jamais ses papiers d'identité.) Il va à la fête en toute impunité. « La Fête, c'est ce qui s'attend. » (Roland Barthes, *Fragments d'un discours amoureux.*)

« Ta gueule, mythe mort, grogne Marronnier. À force d'attendre, on finit TOUJOURS écrasé par un camion de blanchisserie. »

Quelques pas en avant, puis Marc se ravise. « En réalité, c'est Barthes qui a raison, je ne fais plus qu'attendre et j'en ai honte. À seize ans, je voulais conquérir le monde, être une rock-star, ou une vedette de cinéma, ou un grand écrivain, ou un président de la République, ou mourir jeune. Mais à vingt-sept ans je suis déjà résigné, le rock est trop compliqué, le cinéma trop fermé, les grands écrivains trop morts, la République trop corrompue et désormais je veux mourir le plus tard possible. »

20 h 00

« Mon farniente citadin vit et se laisse vivre sous la variété de la nuit.
La nuit est une longue fête solitaire. »

JORGE LUIS BORGES,
Lune d'en face.

Il faut vivre dangereusement, mais de temps en temps Marc aime bien goûter chez Ladurée.

Pour ne pas arriver trop à l'heure, il commande un chocolat chaud et compose ce haïku bilingue :

Un homme au cou de girafe
Mangeait des clous de girofle

And in her mouth he came
Drinking Château-Yquem.

La vieille serveuse lui apporte sa tasse et une angoisse brutale le saisit : ce cacao vient sûrement d'Afrique, il a fallu le cueillir, le transporter, puis le traiter dans l'usine Van Houten, le transformer en poudre soluble, le transporter à nouveau, faire bouillir le lait qui vient d'une vache normande enfermée dans une autre usine (Candia ou Lactel ?), surveiller la casserole pour éviter tout débordement, bref, des milliers de gens ont dû bosser pour qu'il puisse le laisser refroidir devant lui. Toute cette foule pour une simple tasse de chocolat. Peut-être certains ouvriers sont-ils morts broyés par les impressionnantes machines à presser le cacao, juste pour que Marc puisse tourner sa cuillère dedans. Il a l'impression que tous ces gens le regardent et lui disent : « Bois ton chocolat, Marc, bois-le pendant qu'il est chaud, tu n'y peux rien si cette tasse équivaut à notre salaire annuel. » Il se lève de table et déguerpit à toute vitesse en fronçant les sourcils. On vous l'a déjà dit, tous ses comportements ne sont pas rationnels. Il peut rapidement être terrorisé par des motifs géométriques de papier peint, ou des chiffres sur des plaques d'immatriculation, voire par un obèse qui mange une pizza.

L'église de la Madeleine n'a pas bougé de sa Place. Il y a déjà foule devant l'entrée des Chiottes. Un ballet de badauds, de paparazzi et de badauds-paparazzi. Les haut-parleurs immenses chantent un lied de Schubert : « An die Nachtigall », mixé avec « The nightingale » de Julee Cruise. Sans doute une première trouvaille vespérale de Joss Dumoulin.

La cuvette géante de marbre blanc est noyée dans une brume artificielle et cernée de poursuites verticales qui illuminent le ciel. On dirait les cylindres lumineux de téléportation dans *Star Trek*, ou alors une alerte aux V2 pendant le Blitz londonien. Les curieux sont agglutinés devant la porte comme des spermatozoïdes devant un ovule.

« Vous êtes qui ? » demande le pit-bull humain qui garde l'entrée. Comme la vraie réponse à cette question prendrait des heures, Marc dit juste :

« Marronnier ». Le vigile répète son nom dans son talkie-walkie. Un ange passe. Chaque fois qu'on sort, c'est pareil. « On vérifie sur la guest-list. » On prend les portiers de boîte pour des cerbères mais c'est faux : ils descendent directement du Sphinx de Thèbes. Leurs énigmes soulèvent de vrais problèmes existentiels. Marc se demande s'il a bien répondu. Finalement, le pit-bull capte un grésillement approbateur dans son oreillette. Marc existe! Il est sur la liste, donc il est! Le chambellan entrouvre avec déférence une cordelette pour le laisser passer. La foule s'écarte telle la mer Rouge devant Moïse, sauf que Marc est rasé de près.

Sur le mur, une inscription en mosaïque dit : « Construit par les établissements Porcher, Paris-Revin 1905. » Et, juste au-dessus, un petit hologramme bleu montre une fillette souriante, nue, qui porte un tatouage sur le ventre : « Les Chiottes, Paris-Tokyo 1993. »

Joss Dumoulin accueille les invités à l'entrée, derrière le portique détecteur de métal et l'équipe de télé qui installe ses projecteurs. Ses cheveux sont gominés, son smoking croisé, ses gardes du corps baraqués, son téléphone portable.

« Eéééh! Mais c'est la grande Marronnier! Ça fait combien d'années qu'on ne s'est pas vus? »

Ils s'embrassent chaleureusement, façon show-biz, ce qui leur permet de cacher une réelle émotion.

« Content de te revoir, Jocelyn.

— Salaud ! Ne m'appelle plus comme ça ! rigole Joss. Maintenant je suis jeune !

— Alors c'est toi qui ouvres ce machin ? demande Marc.

— Les Gogues ? Nooon, la boîte appartient à des amis japonais. Tu sais, le genre avec un doigt en moins... dis donc, ça me fait sacrément plaisir que tu sois venu, vieux frère !

— Pour une fois qu'un d'entre nous réussit dans la vie... J'allais pas manquer ça. Et puis je me demandais comment on devient "Joss Dumoulin".

— Eh ouais, c'est le star-system maintenant ! Je vais te dire mon secret : le talent. Eh bien ? Tu ne ris pas ? Depuis que je suis connu, c'est fou comme les gens rigolent à mes blagues. Fais comme tout le monde !

— Ah ah ah ! se force Marc. Quel esprit ! Bon, c'est joli tout ça, mais peux-tu m'indiquer où sont les nymphomanes ?

— Ne sois pas si pressé, espèce de "Reuben" ! How arrre youu, baroness ? »

Joss Dumoulin embrasse la baronne Truffaldine comme du bon pain, alors qu'elle ressemble à une motte de beurre dans laquelle on aurait enfoncé une paire de lunettes à triple foyer. Puis il se retourne vers Marc :

« Va te servir à boire, Châtaignier de mes deux, je te rejoins tout de suite. Des nymphomanes, il n'y a que ça ici ! Je dois accueillir mes six cents amis nymphomanes ! Tiens, Marguerite par exemple. Oh my God, Marguerite, you look SO nymphomaniac ! »

Le voilà qui écorche le prénom de Marjorie Lawrence, un mannequin célèbre des années cinquante et de cinquante années. Marc lui baise protocolairement la main (avec une once de gérontophilie urbaine). La déformation des noms propres semble l'un des sports favoris de Joss. Avec la plupart des gens, le disc-jockey se montre sympathique comme l'encre du même nom : d'une façon provisoire.

Marc lui obéit et se dirige vers le bar. Il faut parer au plus pressé.

Tiens, détail important : il ne fronce plus les sourcils.

« Deux Lobotomies avec des glaçons, s'il vous plaît. »

Il a pris l'habitude de commander les boissons par paires, surtout quand elles sont offertes. Après, ça lui donne une excuse pour ne pas serrer toutes les mains.

Tout en conservant le style rococo de ces toilettes du début du siècle, les architectes ont fait de cette salle énorme un délire high-tech néo-barbare que leurs commanditaires nippons doivent apprécier. Deux gigantesques niveaux composent une chiotte d'une trentaine de mètres de diamètre. Le rez-de-chaussée constitue la lunette des W-C, avec une coursive circulaire et des guéridons autour. En bas se trouve la piste de danse, où des tables sont dressées pour le souper. Entre les deux, dominant la salle, la cabine transparente du disc-jockey fait songer à une bulle de savon géante, reliée au dance-floor par deux toboggans blancs. Cet endroit donne à Marc l'impression déplaisante d'être coincé dans une gravure de Piranèse.

Pour l'instant, il n'y a pas grand monde. « Plutôt bon signe, se dit-il : une soirée où il y a de la bousculade dehors et personne à l'intérieur est une soirée qui commence bien. »

« Alors, Marc, on s'échauffe ? lui demande Joss qui l'a rejoint au bar du haut.

— J'aime bien arriver en avance, histoire de prendre des forces. »

Se sentant coupable, Marc tend un de ses verres à Joss.

« Merci, je ne bois pas. J'ai beaucoup mieux. Viens, je vais te montrer quelque chose. »

Marc le suit dans une arrière-salle où Joss lui sort une boîte d'allumettes du Waldorf Astoria.

« Écoute, Joss, si tu crois que tu vas m'épater avec ça... Moi j'ai le cendrier et le peignoir du Pierre à la maison.

— Attends, chéri... »

Joss ouvre le petit tiroir en carton. La boîte est remplie de gélules blanches.

« Euphoria. Tu en gobes une comme ça et tu deviens ce que tu *es*. Chaque gélule contient l'équivalent de dix pilules d'ecstasy. Allez, te gêne pas, il paraît qu'on ne trouve plus rien à Paris ! »

Marc n'a même pas le temps de protester que Joss lui a déjà glissé un cachet dans la poche. Puis il disparaît en criant des prénoms vers l'entrée. Ce dingue l'aime. Pourtant c'est du gâchis : Marc a la trouille de ces machins. En général, les gens se droguent par lâcheté. Lui, c'est par lâcheté qu'il ne se drogue pas.

Avec tout ça, il n'est pas très avancé. Il ne sait toujours pas où sont les nymphomanes.

Il tripote machinalement la gélule dans la poche de sa veste : elle pourra peut-être servir. Le cocktail lui monte déjà à la tête. Le docteur lui a pourtant ordonné de ne plus boire à jeun. Mais Marc adore sentir le premier verre descendre dans son estomac vide. D'ailleurs, il se demande toujours ce qui le ronge le plus, de l'alcool ou de l'aspirine. Du mal ou de son remède.

La musique associe à présent la voix de Saddam Hussein à un remix de raï synthétique. Les écrans de télé diffusent des images de la guerre en Yougoslavie. Joss Dumoulin mélange tout, c'est son métier.

Marc se dit qu'il aurait aimé être disc-jockey. Finalement, c'est une façon d'être musicien sans se fatiguer à jouer d'un instrument. De créer quelque chose sans se fatiguer à avoir du talent. Un bon système, quoi.

La boîte se remplit petit à petit, contrairement aux verres. Marc s'est accoudé au bar et regarde le défilé des invités. Des majordomes les dépossèdent de leurs manteaux en échange d'un numéro de vestiaire. Un célèbre marchand d'armes entre, une superbe houri à chaque bras. Laquelle est sa femme, laquelle est sa fille ? Difficile à distinguer. Les deux mulâtresses se sont fait tirer plus d'une fois. Leurs toilettes sexy sont comme elles : empruntées. Toutes les coteries sont représentées : la rive gauche, la rive droite, l'île du milieu, le XVIe nord, le XVIe sud, le XVIe centre, le quai Conti, la place des Vosges, quelques rastaquouères du Ritz ou de l'avenue Junot (75018), Kensington, la piazza Navona, Riverside Drive...

La fête gonfle ses poumons. Chaque nouvel arrivant symbolise un univers, chacun est une munition pour plus tard, un ingrédient dans la recette diabolique de Joss. Comme s'il avait voulu concentrer en un seul endroit le monde entier, réduire la planète en une nuit. Une soirée Jivaro. Marc assiste en direct à l'accouchement de la fête. Il n'y a aucune différence entre la fête et la vie : elles naissent de la même façon, grandissent et déclinent de la même manière. Et quand ça meurt, il faut réparer les dégâts, ranger les chaises renversées et donner un coup de balai, ah les cons, ils ont tout saccagé.

Ce genre de digression s'explique peut-être par le fait que Marc termine actuellement son deuxième cocktail.

Il est devenu presque impossible d'épater Marc Marronnier, ce gandin. Il fait presque pitié, seul au bar, implorant désespérément le regard des belles filles qui descendent l'escalier. Les adeptes du piercing font sonner le détecteur de métal. Marc est allé au bout de la nuit, sans voyager. Il sort son bloc de Post-it et note cette dernière phrase pour pouvoir l'oublier.

Il observe Joss Dumoulin qui papillonne, et commande un troisième verre sponsorisé. Il se demande ce que sont devenues ses idoles de jeunesse. C'est vrai qu'il n'a pas connu Jim Morrison : lui, ses idoles se nomment Yves Adrien, Patrick Eudeline, Alain Pacadis. On a les modèles qu'une époque vous octroie. Certains ont disparu ; les autres, c'est pire : on les a oubliés.

Cette fois, Marc ne prête plus aucune attention à ce qui l'entoure. Il écrit frénétiquement sur ses Post-it jaunes :

J'AI OUBLIÉ

J'ai oublié les années quatre-vingt, cette décennie où j'ai eu vingt ans, donc où j'ai compris que j'étais mortel.

J'ai oublié le titre du seul roman de Guillaume Serp (mort d'une overdose après sa publication).

J'ai oublié les mannequins Beth Todd, Dayle Haddon et Christie Brinkley.

J'ai oublié « Métal hurlant », « City », « Façade », « Elles sont de sortie », « Le Palace Magazine ».

J'ai oublié la liste des ex d'Hervé Guibert.

J'ai oublié le Sept rue Sainte-Anne et la Piscine de la rue de Tilsitt.

J'ai oublié « Tainted love » de Soft Cell et « Devenir gris » de Visage.

J'ai oublié Yves Mourousi.

J'ai oublié les œuvres littéraires complètes de Richard Bohringer.

J'ai oublié le mouvement « Allons-z-idées ».

J'ai oublié les bédés de Bazooka.

J'ai oublié les films de Divine.

J'ai oublié les disques de Human League.

J'ai oublié les deux Alain impopulaires : Savary et Devaquet. (Au fait, lequel des deux est mort ?)

J'ai oublié le ska.

J'ai oublié des millions d'heures de droit administratif de finances publiques, d'économie politique.

J'ai oublié de vivre (chanson de Johnny Hallyday).

J'ai oublié comment s'appelait la Russie pendant les trois premiers quarts du xxe siècle.

J'ai oublié Yohji Yamamoto.

J'ai oublié les œuvres littéraires complètes d'Hervé Claude.

J'ai oublié le Twickenham.

J'ai oublié le cinéma Cluny au coin du boulevard Saint-Germain et de la rue Saint-Jacques, ainsi que le Bonaparte place Saint-Sulpice et le Studio Bertrand rue du Colonel-Bertrand.

J'ai oublié l'Élysée-Matignon et le Royal Lieu.

J'ai oublié TV6.

Je me suis oublié.

J'ai oublié de quoi est mort Bob Marley, ainsi que la marque des somnifères de Dalida.

J'ai oublié Christian Nucci et Yves Chalier. (**YVES CHALIER**, a-t-on idée de s'appeler Yves Chalier ?)

J'ai oublié Darie Boutboul.

J'ai oublié « la Salle de bains » (était-ce un film ou un livre ?).

J'ai oublié comment on faisait le Rubik's Cube.

J'ai oublié le nom du photographe portugais qui est retourné chercher ses pelloches sur le « Rainbow Warrior » à un mauvais moment.

J'ai oublié le « Sida mental ».

J'ai oublié Jean Lecanuet et Sigue Sigue Sputnik. Et Björn Borg.

J'ai oublié l'Opéra Night, l'Eldorado et le Rose Bonbon.

J'ai oublié les noms des otages du Liban, à part Jean-Paul Kauffmann.

J'ai oublié la marque de la voiture noire qui a jeté la bombe chez Tati rue de Rennes. (Mercedes ? BMW ? Porsche ? Saab Turbo ?)

J'ai oublié qu'il existait des Weston bicolores marron et noir.

J'ai oublié les « Treets », les « Trois Mousquetaires » et les « Daninos ».

J'ai oublié le « Fruité » violet, à la pomme et au cassis.

J'ai oublié le groupe Partenaire Particulier et « Peter et Sloane ». Et Annabelle Mouloudji. Et « Boule de flipper » de Corinne Charby ! (Tiens, non, ça je m'en souviens.)

J'ai oublié l'Académie Diplomatique Inter-
nationale, le France-Amérique, l'American
Legion, le Cercle Interallié, l'Automobile Club de
France, le Pavillon d'Ermenonville, le Pavillon
des Oiseaux, le Pré Catelan et la piscine du Tir
aux Pigeons.
(Non, ce n'est pas exact, qui pourrait oublier
LA PISCINE DU TIR AUX PIGEONS à poil
vers quatre heures du matin, avec les chiens à
nos trousses ?)

En bas, le dîner est placé. Marc finit par déni-
cher sa table. Son nom est écrit sur un petit
bristol entre ceux d'Irène de Kazatchok (diaco-
nesse généralement échancrée) et de Loulou
Zibeline (nabab tendance cool). Elles ne sont pas
encore arrivées. Laquelle Marc branchera-t-il la
première ? À moins qu'elles ne se décident à lui
rouler des pelles à tour de rôle ? Sa main droite
dans le corsage de l'une, sa main gauche sous
la fesse de l'autre ? Le sexe de Marc en durcirait
presque.

Dieu soit loué, Marc est interrompu dans sa
rêverie par un allié précieux : Fab. L'allié précieux
porte une sorte de combinaison en lycra, moulante
et fluorescente. Son crâne est rasé de manière à
ce qu'on puisse lire le mot « FLY » sur sa tempe
peroxydée. Fab pourrait être le fruit de l'accouple-
ment de Jean-Claude Van Damme avec une tortue
Ninja. Il ne s'exprime qu'en langage hypno. C'est
le ludion le plus gentil de la terre, dommage pour
lui qu'il ait vu le jour un siècle trop tôt.

« Yo Chesnut-Tree[*] ! Ça m'a l'air fresh ici !

— Ouais Fab, d'ailleurs on est à la même table, lui répond Marc.

— Bombastique ! Je sens que ça va pulvériser massif ! »

Sans doute n'est-il pas question de s'ennuyer.

* Marronnier en anglais. L'anglais est très hypno. *(N.d.A.)*

21 h 00

« J'écris, la nuit tombe, les gens vont
dîner. »

HENRY MILLER,
Jours tranquilles à Clichy.

Des groupes se forment, des formes se groupent. On finira bien par s'asseoir. Patiente là ce qu'il faut bien considérer comme l'élite nocturne des pays occidentaux. Une centaine de CSP + + + + qu'on pourrait baptiser les Indispensables Inutiles.

L'argent dégouline de partout. Tout individu portant moins de vingt plaques en liquide sur lui paraîtrait suspect. Pourtant personne ne s'en vante. Tous les satrapes se veulent artistes. Il faut être photographe de mode ou rédacteur en chef (même adjoint) ou producteur de télé ou « en train de finir un roman » ou tueur en série. Rien n'est plus louche ici que de ne pas *œuvrer*. Marc Marronnier a subtilisé la guest-list pour mieux cerner cette population. Le voilà rassuré : ce sont les mêmes qu'hier soir et demain soir.

Ceux qui sont placés en haut sont contents d'avoir une table. Ceux qui sont placés en bas sont contents de ne pas avoir une table en haut.

UNE NUIT AUX CHIOTTES
Souper d'ouverture – VIP list

Gustav von Aschenbach
Susanne Bartsch
Patrick Bateman
Les frères Baer
Henri Balladur
Gilberte Bérégovoy
Helmut Berger
Lova Bernardin
Leigh Bowery*
Manolo de Brantos
Carla Bruni-Tedeschi
Les fils Castel
Pierre Celeyron
Chamaco
Henry Chinaski
Louise Ciccone
Clio
Les Alban de Clermont-Tonnerre
Matthieu Cocteau
Daniel Cohn-Bendit
Francesca Dellera
Jacques Derrida
Antoine Doinel
Boris Eltsine
Fab
Les sœurs Favier
Son Excellence le consul Geoffrey Firmin
Paolo Gardénal
Agathe Godard
Jean-Michel Gravier*

* Ces deux invités ont eu l'indélicatesse de mourir après la parution de ce livre. *(N.d.A.)*

Jean-Baptiste Grenouille
Les Hardissons
Faustine Hibiscus
Ali de Hirschenberger
Audrey Horne
Herbert W. Idle IV
Jade Jagger
Joss + friends
Solange Justerini
Foc Kan
Irène de Kazatchok
Christian et Françoise Lacroix
Marc Lambron
Marjorie Lawrence
Serge Lentz + la tigresse
Arielle Lévy + 2
Roxanne Lowit
Homero Machry
Benjamin Malaussène
Marc Marronnier
Elsa Maxwell
Baron von Meinerhof
Virginie Mouzat
Thierry Mugler
Roger Nelson
Constance Neuhoff
Masoko Ohya
Paquita Paquin
Roger Peyrefitte
Ondine Quinsac
Guillaume Rappeneau
Les Rohan-Chabot + parents
Gunther Sachs

Éric Schmitt
William K. Tarsis III
Princesse Gloria von Thurn und Taxis
Lise Toubon
Baron et Baronne Truffaldine
Inès et Luigi d'Urso
José-Luis de Villalonga
Denis Westhoff
Ari and Emma Wiz
Oscar de Wurtemberg
Alain Zanini
Zarak
Loulou Zibeline

(Marc constate avec soulagement qu'aucun membre du gouvernement n'est invité.)

Il déclame tout haut cette liste pour souligner la musique des noms propres.

« Entendez-moi ça, déclare-t-il à la cantonade, c'est la musique des existences dispersées.

— Dites-moi, Marc, coupe Loulou Zibeline, saviez-vous qu'Angelo Rinaldi avait parlé de ces toilettes publiques ?

— Tiens donc ?

— Mais bien sûr ! *La Confession dans les collines*, si ma mémoire est bonne...

— Ça alors, Les Chiottes serviraient donc de confessionnal ? En voilà une nouveauté ! Ça s'arrose ! » (Marc dit souvent ça quand il ne sait plus quoi dire.)

Loulou Zibeline, quarante ans, journaliste à *Vogue* Italie, s'est spécialisée dans la thalassothérapie biarrote et les orgasmes tantriques (deux centres d'intérêt pas forcément incompatibles). Son long nez supporte de grosses lunettes rouges. Elle affiche l'air désaffecté des femmes qu'on ne drague plus très souvent.

« Madame, reprend Marc, je suis désolé de vous le dire, mais vous êtes assise à côté d'un obsédé sexuel.

— Ne soyez pas désolé. C'est une qualité qui se perd, lui répond-elle en le dévisageant. Mais vous m'inquiétez : tous les hommes sont des obsédés sexuels. C'est quand ils en parlent que c'est mauvais signe.

— Attention : je n'ai jamais dit que j'étais un bon coup ! On peut être obsédé par quelque chose et le pratiquer très mal. »

Marc se vante toujours d'être le plus mauvais coup de Paris : ça donne envie aux femmes de vérifier et, en général, les rend indulgentes.

« Tenez, vous qui avez l'air de vous y connaître, jette-t-il, pourriez-vous me dire quelles sont les meilleures phrases d'attaque pour draguer ? Vous savez, le genre "Vous habitez chez vos parents ?", "C'est à vous ces beaux yeux-là ?", etc. Ça pourrait m'être très utile ce soir, car j'ai un peu perdu la main.

— Mon cher, la phrase d'attaque n'est pas très importante. C'est votre tronche qui séduit ou pas, point à la ligne. Mais il existe quelques questions qui piègent toutes les femmes. Par exemple : "On ne s'est pas déjà vu quelque part ?", banale mais rassurante, ou : "Vous ne seriez pas top-model par hasard ?" car personne au monde ne vous reprochera un compliment. Quoique l'insulte ne marche pas mal non plus : "Auriez-vous l'obligeance de pousser votre énorme cul qui bloque le passage ?" peut fonctionner (avec quelqu'un de pas trop callipyge, bien entendu).

— Très intéressant, déclare Marc en prenant des notes sur ses Post-it. Et que pensez-vous d'une question du type : "T'as pas la monnaie de huit cents francs ?"

— Trop absurde.

— Et de : "T'es d'accord pour penser qu'on n'a rien à faire ensemble ?"

— Trop loser.

— Et de celle-ci, ma préférée : "Prenez-vous en bouche, mademoiselle ?"

— Risquée. Neuf chances sur dix de rentrer chez vous avec un œil au beurre noir.

— Oui, mais la dixième chance vaut la peine d'essayer, non ?

— Vu sous cet angle-là, effectivement. Qui ne risque rien n'a rien. »

Marc vient de mentir, car sa phrase préférée pour adresser la parole à une inconnue, c'est : « Mademoiselle, est-ce que je peux vous offrir une limonade ? »

Leur table n'est pas trop mal située. Celle de Joss trône juste à côté. Une armada de maîtres d'hôtel en veste blanche apportent des plateaux d'huîtres perlières. Distraction amusante : on ouvre soi-même les coquillages et chacun s'exclame à son tour.

« Moi j'ai deux perles, regardez !

— Pourquoi y a rien dans la mienne ?

— Regardez celle-là, elle est ÉNORME, non ?

— Vous devriez en faire un pendentif.

— Chérie, c'est vous qui êtes une perle ! »

On dirait l'Épiphanie : Marc a l'impression de tirer les rois. À ceci près qu'on ne vend pas encore de colliers de fèves sur la place Vendôme.

Irène de Kazatchok, styliste britannique d'origine ukrainienne, papote avec Fab. Née le 17 juin 1962 à Cork (Irlande), son écrivain préféré est V.S. Naipaul et elle adore le premier album des Pogues. À l'université, elle a eu une aventure homosexuelle avec Deirdre Mulroney, la capitaine de l'équipe de rugby féminin. Son frère aîné se prénomme Mark et prend du Mandrax. Elle a avorté deux fois : en 1980, puis l'année dernière.

Fab l'écoute en dodelinant de la tête. Ils ne se comprennent pas mais s'entendent déjà à merveille. Dans l'avenir, toutes les conversations ressembleront à celle-là. Nous parlerons tous un sabir différent. Alors peut-être serons-nous enfin sur la même longueur d'onde.

Irène : « La vêtement il doit reste stable sur la body because if you met les trucs comme ça qu'il tombe pas like this, c'est affreux tu ne vois pas la tissu, it's just too grungy you know. Oh my God : look at this pearl, elle est gigantic !! »

Fab : « Irie dans la transe, y'a pas de séquelles miss, je suis dans le parallélogramme, véridique, do you percute l'hypnose mentale ? Je suis le vecteur espace-temps, le biochimiste mononucléaire ! We gonna do a mega-fly in the space ! May I call U Perle Harbor ? »

Irène porte un corset tressé en fil de fer barbelé par-dessus un ensemble en lingerie de vinyle. La dernière tendance. Marc essaie de ne rien perdre de ce dialogue historique, mais Loulou l'en empêche.

« Il paraît qu'en plus vous vous êtes lancé dans la pub ? jette-t-elle. Alors là, franchement, vous me décevez.

— Vous savez, je n'ai pas beaucoup d'imagination : j'ai choisi la chronique mondaine pour copier Marcello Mastroianni dans *La Dolce Vita* et la rédaction publicitaire pour imiter Kirk Douglas dans *L'Arrangement*.

— ... Et vous ne ressemblez qu'à William Hurt, en plus moche.

— Merci du compliment.

— Mais ça ne vous fait rien de participer à la manipulation des masses ? À l'ère du vide ? À toute cette saloperie ? »

Questions à choix multiples. Loulou n'a pas oublié son mois de mai 1968, celui où elle a visité le quartier Latin en Mini Cooper et découvert les jouissances à répétition au théâtre de l'Odéon. Depuis, elle regrette les spasmes révolutionnaires. Marc aussi, en un sens. Il ne demande pas mieux que de tout détruire. Seulement il ignore par où commencer le travail.

« Puisque vous insistez, madame, laissez-moi vous expliquer ma théorie ; je crois qu'il faut se lancer dans ce grand bordel parce que ce n'est pas en restant chez soi qu'on va changer les choses. Au lieu de pester contre les trains qui passent, je préfère détourner les avions. Voilà, fin de la théorie. De toute façon, j'arrive pile dans une zone sinistrée. J'ai l'impression d'être un investisseur qui mettrait tout son fric dans la sidérurgie.

— N'empêche, de votre part, ça m'a déçue...

— Loulou, puis-je vous faire une confidence? Vous venez de mettre le doigt sur ma grande ambition : décevoir. Je m'efforce de décevoir le plus souvent possible. C'est la seule façon pour que les autres continuent de s'intéresser à moi. Vous vous souvenez, sur vos carnets de notes à l'école, les profs qui inscrivaient "Peut mieux faire"?

— Oh! là! là!

— Eh bien c'est ma devise. Mon rêve, ce serait qu'on me dise toute ma vie : "Peut mieux faire". Plaire aux gens, c'est vite ennuyeux. Leur déplaire sans arrêt, c'est assez désagréable. Mais les décevoir régulièrement et avec application, ça, c'est de bon aloi. La déception est un acte d'amour : elle rend fidèle. "Comment Marronnier va-t-il encore nous décevoir cette fois-ci?" »

Marc essuie un postillon qui vient d'atterrir sur la joue de son interlocutrice.

« Vous savez, reprend-il, dans ma famille je suis le puîné. J'aime arriver deuxième partout. Je suis assez doué pour ça.

— Voilà qui est lucide sur vos capacités... »

Marc comprend qu'il perd son temps à babiller avec cette duègne. Il remarque, sur sa joue, une verrue qu'elle a masquée en la coloriant de noir comme une mouche. Mais a-t-on déjà vu une mouche en relief? Si oui, alors une vraie mouche. Bref, Loulou Zibeline lance un nouveau concept : le grain de mocheté.

Irène allume sa cigarette à la flamme du candé-labre. Marc se tourne vers elle. Il la trouve belle mais ce n'est pas réciproque : elle s'intéresse surtout à Fab.

« But you must agree, lui dit-elle, that le mode il ne l'est pas pareil dans le France qu'à l'Angleterre. Le british people il aime tous les habits qu'ils sont strange et original, very uncommon, you see, mais le française, ils searchent pas le couleur or la délire, oui ?

— OK, OK, lui rétorque Fab, c'est pas la diva techno, mais t'as quand même des bombes atomiques genre murder stylee et si tu situes bien la poupée supersonique sur le dance-hall, je vais te dire, tu la bases pas, t'es plutôt style branche-ment sur ses fréquences alpha et têta, capito ? »

Les enceintes géantes balancent « Sex Machine », cette chanson enregistrée avant la naissance de Marc Marronnier et qui continuera probable-ment de faire danser les gens longtemps après sa mort.

Marc goûte la soirée par une rotation à 360 degrés. Transformé en périscope, il tente de trier les boudins sexy et les canons laids. Il reconnaît Jérémy Coquette, le dealer des leaders (meilleur carnet d'adresses de la ville). Et Donald Suldiras qui embrasse son petit ami devant sa femme. Les Hardissons sont venus avec leur bébé de trois mois (non circoncis). Ils lui font fumer un pétard pour rire. Le baron von Meinerhof, ex-dame-pipi au Sky Fantasy de Francfort, s'esclaffe en allemand. Les barmen empressés agitent leurs shakers au ralenti. Les gens vont et viennent, ne tiennent pas en place. Difficile de rester assis quand on attend avidement que quelque chose se passe. Ils sont tous si beaux et si malheureux.

Solange Justerini, une ancienne toxicomane devenue la vedette d'un feuilleton télévisé, étire ses longs bras comme une algue condescendante. Tous les trous s'y sont rebouchés. Sa taille de sylphide semble presque trop fine. Combien de côtes s'est-elle sciées depuis la dernière fois que Marc a couché avec elle?

La lumière baisse d'intensité, non le brouhaha. Joss Dumoulin vient de programmer un mixage d'Yma Sumac et de Kraftwerk, sur un léger fond de grillons provençaux. Ondine Quinsac, la célèbre photographe, avance nue sous une robe de tulle, le visage peint en vert. Quelqu'un a dessiné des zébrures sur son dos avec du vernis à ongles. À moins qu'elles ne soient vraies.

Marc est encerclé de surfemmes. La mode célèbre ces mannequins retouchés au scalpel. Les plus célèbres top-models posent à la table de Christian Lacroix. Marc admire leurs faux seins, corrigés des variations saisonnières. Il a déjà tâté : les seins gonflés de silicone sont durs, avec des tétons énormes. Mille fois mieux que des vrais...

Marc est leur voyeur. Il voit leurs corps sortis d'une bande dessinée de gare, d'une *paintbox* pornographique à taille humaine. Ces créatures sont des fiancées de Frankenstein modernes, des sex-symbols de synthèse, en cuissardes vernies, bracelets cloutés, colliers de chien. Quelque part en Californie, un dingue les fabrique à la chaîne dans son atelier. Marc imagine l'usine ! Les toits en forme de seins, la porte vaginale, avec une nouvelle fille qui sort à chaque minute. Il s'essuie le front avec son mouchoir.

« Hey Março, t'as pas fini de mater les vamps ? »

Fab a dû remarquer ses yeux exorbités. Marc avale une huître cul-sec (avec sa perle).

« Rappelle-toi, Fab, s'écrie-t-il. Tu pensais que le monde t'appartenait. Tu disais : "Il n'y a qu'à se baisser pour les ramasser." Tu te souviens ? Dis, est-ce que tu te souviens du temps où tu y croyais encore ? Fab, regarde-moi dans les yeux : est-ce que tu te souviens de cette époque où les filles MISAIENT sur nous ?

— Keep cool, man. Là où il y a collagène, y'a pas de plaisir.

— Faux, archifaux ! Regarde-moi ces douzièmes merveilles du monde ! À bas la nature ! Ces cyber-femmes devraient te plaire, non ?

— Des poupées Klaus Barbie, c'est tout ! déclare Fab, ce qui fait sourire Irène.

— Je trouve qu'on devrait développer la chirurgie esthétique pour hommes, lance Loulou. Il n'y a pas de raison. On pourrait commencer par le lifting testiculaire pour les hommes qui portent des caleçons. C'est pas une bonne idée, ça ?

— No way José ! répond Fab. Moi, j'ai le moulb de combat, no problemo !

— Si, si, dit Marc, elle a raison, il faut tout se faire refaire ! Regardez la baronne Truffaldine, là-bas ! Il y a de quoi liposucer, non ? Et vous, Irène, détesteriez-vous faire 120 centimètres de tour de poitrine ?

— What did he say ? » demande Irène.

Marc s'esbaudit dans son coin. Il donnerait cher pour pouvoir être une jolie fille pendant quelques heures. Ça doit être si grisant d'avoir un tel pouvoir... Il ne sait plus où donner de la tête. Il y en a tellement !

Question : Le monde est-il merveilleux ou bien est-ce Marc qui ne tient plus l'alcool ?

De son côté, Joss Dumoulin contrôle encore à peu près la situation. L'assemblée est pourtant tout sauf disciplinée. Mais pour le moment, elle semble plutôt préparer le terrain, s'échauffer. Dans un bouquin de moindre ambition stylistique, l'auteur appellerait cela : « le calme avant la tempête ».

Des milliardaires impuissants vident des carafes de vin en attendant le déclenchement des hostilités. Des sous-fifres snobent leurs patrons. Personne ne finit son assiette.

Marc décide de faire passer à ses voisines son fameux « test du Triple Pourquoi ». Personne n'y résiste, d'habitude. Le « théorème des Trois Pourquoi » est simple : la troisième fois qu'on lui demande « Pourquoi ? », toute personne interrogée finit toujours par penser à la mort.

« J'ai envie de reprendre du vin, dit Loulou Zibeline.

— Pourquoi ? dit Marc.

— Pour me soûler.

— Pourquoi ?

— Parce que... j'ai envie de m'amuser ce soir, et que si je ne comptais que sur vos blagues, il y aurait peu de chances pour que j'y parvienne.

— Pourquoi ?

— Pourquoi je veux m'amuser ? Parce que après on meurt, voilà pourquoi ! »

La première candidate au « test du Triple Pourquoi » vient d'être reçue avec les félicitations du jury. Mais pour qu'un théorème soit scientifiquement démontré, il faut plusieurs vérifications. Marc se tourne donc vers Irène de Kazatchok.

« Je bosse vachement, dit-elle.

— Pourquoi ? lui demande Marc, tout sourires.

— Well, pour gagner de l'argent.

— Pourquoi ?

— Get out of there ! Parce qu'il faut bien manger, that's all !

— Pourquoi ?

— Give me a break ! Pour pas crever, my boy ! »

Il va de soi que Marc Marronnier jubile. Son test ne sert strictement à rien, mais il lui plaît beaucoup de vérifier avec soin les théorèmes inutiles qu'il s'invente pour tuer le temps. L'embêtant, c'est qu'avec ça il a agacé Irène, ce qui laisse le champ libre à Fab. Tant pis : les progrès de la science valent bien quelques sacrifices.

« Marc, dites-moi, le grand monsieur avec sa canne, ce ne serait pas Boris Eltsine, par hasard ? questionne Loulou.

— Eh oui, on dirait. Les pays de l'Est nous envahissent, que voulez-vous...

— Chut, le voilà. »

Boris Eltsine a soigné son apparence de nouveau capitaliste. Particulièrement *overdressed* (en queue-de-pie de location), il leur tend la main deux secondes trop tôt, façon Yasser Arafat devant Yitzhak Rabin. Il n'a pas encore compris que dans les mondanités, contrairement aux duels des westerns hollywoodiens, il faut dégainer le dernier. Sa main spongieuse flotte dans le vide. Pris de compassion, Marc lui fait un baise-main.

« Bienvenue à la Grande Russie dans notre Luna Park, s'exclame-t-il.

— Vous verrez, nous serrrons bientôt plus rrriches que vous, à forrrce de vendrrre nos bombes atomiques à tous vos ennemis pauvrrres! (Boris roule les « r » avec application). Un jour, nous porrrterrrons des costumes de Mickey en orrrrgandi!

— Tant mieux, tant mieux! Que la fête continue!

— Moi, murmure Loulou sur le ton de la confidence, j'ai une amie tellement raciste et anticommuniste qu'elle a toujours refusé de boire un Black Russian.

— Ah! Ah! rit Boris. Vous pourrriez peut-êtrrre la fairrre changer d'avis maintenant!

— Je le adore your canne, it's marvelous really, dit Irène.

— Véridique, man, jette Fab. Cette batte est turbonice.

— Eh! Oh! gueule Marc. C'est plus ma table ici! C'est le village planétaire!

— Regarrrdez, j'ai amassé trrreize perrrles, se vante Boris Eltsine, en brandissant un porte-monnaie rempli de petites sphères nacrées.

— Pourquoi? l'interroge Marc avec une idée derrière la tête.

— En souvenirrr de cette soirrrée!

— Pourquoi?

— Comme ça, je pourrrai la rrraconter à mes petits-enfants!

— Pourquoi?

— Eh bien, pour qu'ils s'en souviennent après que je serrrai passé de l'autrrre côté…, laisse tomber le président russe avec gravité. »

Bien qu'intérieur, le triomphe de Marc peut se lire à la lueur de ses pupilles. Pythagore, Euclide et Fermat n'ont qu'à bien se tenir! Le Nobel de mathématiques, seul digne d'admiration, est pour bientôt.

Le service ne traîne pas : on leur apporte déjà le plat de résistance, un carré d'agneau aux Smarties. Marc se lève pour aller pisser. Juste avant de quitter la table, il se penche vers Loulou et lui glisse à l'oreille :

« Je vous assure : quand on a très envie de pisser, eh bien, c'est presque aussi agréable que de spermer. Na! »

Marc a su que la fête serait réussie en voyant le monde qu'il y avait aux toilettes des filles, en train de se remaquiller ou de sniffer de la coke (ce qui revient sensiblement au même, la cocaïne n'étant jamais que du maquillage pour le cerveau). Il note sur ses Post-it : « Le xxie siècle sera dans les lavabos pour dames ou ne sera pas. »

22 h 00

« Je sens que je n'aurai vraiment du chagrin qu'après dîner. »

PAUL MORAND,
Tendres Stocks.

En revenant à sa table, Marc croise Clio, la petite amie de Joss Dumoulin, qui a du mal à descendre l'escalier. Ses jambes mesurent dix mètres, avec des tongs à talons compensés au bout. Son corps proche de la perfection est violemment comprimé dans une robe de latex.

« Mademoiselle, est-ce que je peux vous offrir une limonade ? lui demande Marc, en tendant son coude pour qu'elle puisse s'y appuyer.

— Sorry ?

— Dites donc, ma fifille, rectifie Marc, tu arrives très en retard, ça mérite une punition !

— Oh yes please ! lui répond-elle en battant de ses faux cils gigantesques. I am a naughty girl ! »

Elle presse son bras en lui parlant.

« Ton châtiment sera de dîner à ma table.

— Mais... je dois voir Joss...

— Ce verdict est sans appel ! » éructe Marc.

Et c'est ainsi qu'il embarque Clio à sa table en la tirant par son joli poignet nu.

À peine de retour devant son assiette d'agneau mort, Marc doit cependant subir une interview serrée de son voisinage.

« Alors, l'interroge Loulou Zibeline d'un ton ironique, vous nous préparez un second roman ?

— Oui, répond Marc, je ne sais pas ce qui me prend. Ce qu'on appelle la "littérature française" possède aujourd'hui autant d'importance que le théâtre Nô. Pourquoi écrire, quand la durée de vie d'un roman est inférieure à celle d'un spot de pub pour les pâtes Barilla ? En outre, regardez autour de vous : on dénombre ici autant de photographes que de stars. Eh bien, en France, c'est idem : il y a à peu près autant d'écrivains que de lecteurs.

— Alors, à quoi bon ?

— Oui, à quoi bon... Je suis un écrivain mort-né, pourri par le bonheur. Je n'intéresse que quelques pâtés de maisons, autour du métro Mabillon. Je m'en fiche : tout ce que je demande, c'est qu'on me redécouvre, à l'étranger, après ma mort. Je trouve ça chic de plaire par contumace et à titre posthume. Et puis peut-être qu'un jour, une femme comme vous s'intéressera à moi, dans une centaine d'années. "Un petit auteur oublié de la fin du siècle dernier". Patrick Mauriès aura rédigé ma biographie en 2032. Je serai *réédité*. Mon public sera âgé, esthète et résolument pédophile. Alors, seulement alors, tout ce cirque n'aura pas été vain...

— Moui..., doute Loulou, c'est de la coquetterie, tout ça... Je suis sûre qu'il y a autre chose... La recherche de la beauté, par exemple. Il y a bien des choses que vous trouvez belles, non ? »

Marc réfléchit.

« C'est vrai, reprend-il après une pause. Les deux plus belles choses du monde sont : les violons dans la chanson "Stand by me", de Ben E. King, et une femme en bikini avec les yeux bandés. »

Clio s'est assise sur les genoux de Marc. Or, bien que très fine, elle pèse assez lourd.

« Tu n'en as pas marre de sortir avec une star ? lui demande Marc. Tu ne préférerais pas coucher avec ta chaise ?

— What ? »

Elle le contemple de son regard vide.

« Eh bien, puisque tu es assise sur moi... Si tu sortais avec ta chaise, ça serait moi... (Il balaie l'air de sa main.) Je plaisantais... Just kidding, forget it.

— This guy is *weird* », dit Irène à Clio.

L'humour de Marc ne réunit pas tous les suffrages. Si ça continue, il va se mettre à douter, ce qui est déconseillé quand on cherche à séduire. Soudain lui vient une idée. Il glisse la main dans la poche de son costume et retrouve la gélule d'Euphoria que Joss lui a offerte en page 34. Discrètement, il l'ouvre et verse la poudre dans le verre d'Oxygen Vodka de Clio, pile au moment où celle-ci le saisit et l'avale complètement sans cesser de discuter avec Irène. On est en plein film ! Marc se frotte les mains. Il ne reste plus qu'à attendre que la drogue fasse son effet. Vive la drague droguée ! Plus besoin de briller, de dépenser des fortunes, de dîner aux chandelles : une gélule et puis au lit !

L'air sent le parfum cher, la boisson fermentée et la sudation sociale. SAR la princesse Giuseppe di

Montanero a réussi à entrer sans invitation, grâce à des amis travestis qui ont longuement détourné l'attention du portier. Partout, des femmes hors de portée arborent des bijoux hors de prix. Certaines n'en demeurent pas moins hommes (aux toilettes, Marc a même aperçu une bosse sous la jupe d'une dame très élégante qui se poudrait le nez – intérieurement et extérieurement).

Joss Dumoulin fait un geste de la main à sa fiancée. Il pourrait se lever, marcher vers elle, l'embrasser, lui faire un compliment, lui offrir un verre. Mais Joss ne se lève pas, ne marche pas vers elle, ne l'embrasse pas, ne lui fait pas de compliment et Clio finit son verre toute seule. Bienvenue au xxe siècle.

Pendant ce temps, les Hardissons gavent leur bébé de foie gras; des public-relations esseulés fixent les écrans de télé (qu'y a-t-il de plus cafardeux qu'un dircom solitaire?); Ali de Hirschenberger, le très distingué producteur de films X, gifle affectueusement Nelly, sa femme, sybarite même tenue en laisse; le playboy Robert de Dax fait le clown, debout sur une chaise (amant de plusieurs actrices dépressives, il mourra un mois plus tard dans un accident d'autos tamponneuses).

Cette nuit réconcilie bruyamment les P-DG destroy et les clodos en blazer. Des histoires d'amour deviennent possibles entre les nomades en villégiature et la jet-society sédentaire. Les bagarres s'arment de tendresse. On présente sans arrêt les mêmes aux mêmes sans que quiconque s'en plaigne. Nous sommes en présence d'une soirée européenne.

« Qu'y a-t-il pour le dessert ? questionne Clio. J'espère que ce ne sera pas encore un Space Cake au laxatif ! J'ai pas besoin de ça ! »

Sa voix a changé. D'habitude, une poudre diluée dans un verre met une heure à atteindre le cerveau. À moins que la poudre ne soit vraiment très *puissante*.

« Tous ces gens sont si superficiels, se plaint-elle. Je voudrais vous raconter plein de choses, j'ai encore soif, il est tard, non ? Pourquoi Joss ne m'a pas dit bonjour ? »

Clio devient très loquace et très triste. Ses yeux s'emplissent de larmes. Ce n'était pas tout à fait le but recherché.

« VOUS LES HOMMES, accuse-t-elle, vous êtes so selfish ! Rude ! Moches et connards !

— Ce n'est pas faux », dit Loulou Zibeline, à qui – semble-t-il – personne n'a demandé son avis.

Et Clio se met à sangloter sur l'épaule de Marc qui en profite lâchement pour lui caresser la nuque, passer sa main dans ses cheveux doux et susurrer des gentillesses à son oreille.

« Doucement, ça va, ça va, je suis gentil, moi... »

Et c'est la victoire : elle l'embrasse sur les lèvres. La sono passe « Amor, amor » et Marc chantonne avec Clio comme s'il berçait un petit bébé. Un petit bébé qui dégouline de mascara sur sa veste. Un petit bébé qui pèse de plus en plus lourd et qui renifle sa morve. Un petit bébé avec une haleine de cendrier.

« *Amor amor*, fredonne le grand petit bébé. Marc, tu peux me faire une faveur ? Va chercher Joss... please... »

La victoire (en chantant) fut de courte durée. Marc prend les choses avec philosophie. Clio lui sourit et essuie son rimmel sur ses joues. La séduction chimique a ses limites, et Marc n'est pas tout à fait mécontent de refiler le bébé.

Joss Dumoulin furète entre les tables, catalyseur primesautier de cette réunion hétéroclite. Marc lui fait signe d'approcher. Lorsqu'il arrive, Clio saute dans ses bras en chialant.

« MY LOOVE ! crie-t-elle.

— Euh…, dit Marc, je crois que ton amie est un peu fatiguée…

— Attends, qu'est-ce qui se passe, là ? jette Joss. Ne me dis pas que… Tu ne lui as quand même pas filé ton Euphoria !

— Moi ? Pas du tout, pourquoi tu dis ça ?

— Pauvre conne, tu m'avais juré d'arrêter ! gueule le deejay. Elle a failli y rester la dernière fois ! »

Joss emporte sa copine sur son épaule pour aller la faire vomir. Marc garde un air innocent mais transpire beaucoup. Il regrette de ne pas avoir eu le temps de lui faire passer le « test des Trois Pourquoi ». À sa table, tout le monde fait semblant de n'avoir rien vu. Loulou rompt un silence culpabilisant.

« Franchement, Marc, j'ai trouvé votre premier livre très bien écrit.

— Aïe aïe aïe ! gémit Marc. Quand quelqu'un vous dit que votre livre est bien écrit, ça veut dire qu'il est chiant. S'il vous dit qu'il est marrant, ça veut dire qu'il n'est pas bien écrit. Et s'il vous dit que votre livre est "vraiment formidable", ça veut dire qu'il ne l'a pas lu.

— Mais alors que voulez-vous qu'on vous dise ?

— Dites-moi que je suis "top-carton". »

Marc adore « pêcher les compliments », comme disent les Anglais. Au moins, quand il téléguide la flatterie, il peut être sûr qu'on ne lui demandera rien en retour.

« Allez-y, insiste-t-il, répétez-le : "Marc, vous êtes top-carton."

— Marc, vous êtes top-carton.

— Loulou, je crois que je vous aime. Quelle phrase m'avez-vous conseillée pour draguer, déjà ? Ah, oui : "Auriez-vous l'obligeance de pousser votre énorme cul qui bloque le passage ?"

— C'est malin... »

Pendant ce temps, Fab disserte sur la sélection musicale avec Irène.

« Compréhension, vérité, bassomatisme. J'aime pas trop son mix, mais Joss a le sens de la réalitude. »

Justement, à cet instant, la musique suspend son vol et un orchestre de vingt bonzes descend du ciel sur une passerelle suspendue. Ondine Quinsac joue des percussions au milieu des bravos. « Bonsoir, nous sommes les Nique Ta Lope. Nous espérons que votre soirée de merde sera gâchée par notre présence et que vous crèverez dans les plus brefs délais. » Puis une avalanche de décibels électriques s'abat sur les dîneurs. À l'arrière-plan, un brelan de choristes boude des hanches.

Loulou Zibeline est obligée de crier pour couvrir la musique. Marc la trouve trop bavarde. Plus elle parle, moins il a envie de l'écouter. Paradoxe amusant : les bavards finissent asociaux. Marc pense : « Moi, de toute ma vie, les plus belles choses que j'ai jamais dites, c'était en fermant ma gueule. »

« VOUS CONNAISSEZ CE GROUPE ? lui demande-t-elle.

— Comment ?

— JE VOUS DEMANDE SI VOUS CONNAIS-SEZ CE GROUPE !

— Arrête de gueuler dans mon oreille, pouf-fiasse blette !

— QUOI ? QUE DITES-VOUS ?

— Je dis qu'un tas de gens ont trimé pour que ce carré d'agneau arrive jusqu'à nous. D'abord, il a fallu élever l'animal, puis le transporter à l'abattoir, le tuer d'un coup de marteau dans le cerveau. Ensuite, on l'a découpé et un boucher est venu chez le grossiste pour le choisir. Enfin, le traiteur l'a sélectionné après avoir marchandé son prix. Combien de gens ont bossé pour que je puisse grignoter cette côtelette entre mes doigts ? Cinquante ? Cent ? Qui sont tous ces gens ? Comment s'appellent-ils ? Peut-on me décliner leur identité ? Me dire où ils vivent ? Passent-ils leurs vacances dans les Alpilles ou sur la Côte d'Argent ? Je voudrais leur envoyer à chacun un mot de remerciement personnalisé*.

— HEIN ? J'ENTENDS RIEN ! » crie Loulou.

Marc n'est pas très avancé. Sa voisine de droite le méprise et sa voisine de gauche le colle. En plus, il a failli tuer la fiancée du maître de maison. Il

---

* Tirade rédigée avant l'apparition des « vaches folles ». (N.d.A.)

ferait peut-être mieux de rentrer chez lui, pendant qu'il en est encore temps. À propos, Clio va mieux : elle dort profondément sur une banquette près de la cabine du DJ. Le vacarme ne semble pas la déranger outre mesure.

La bataille de bouffe commence aussitôt. Le vacherin coule à flots. Le coulis vole. Le vol-au-vent plane. La crème se renverse sur les canapés. Les canapés sur les sofas. Est-ce le parmesan qui sent le vomi ou l'inverse ? Est-ce la poule qui sent l'œuf, l'œuf qui sent la poule ?

« Tout ça ne tient pas debout », grommelle Marc en s'asseyant.

Quelques pucelles sodomites entament pudiquement les premiers strip-teases. Roger Peyrefitte fait sniffer de la colle au bébé des Hardissons devant Gonzague Saint Bris qui s'autoflagelle avec une ceinture cloutée, ce qui lui donne une quinte de toux. Les Nique Ta Lope massacrent « All you need is love » en cassant des assiettes sur les micros. Les plats en sauce croisent des gâteaux secs dans le firmament. Marc croit même reconnaître un crocodile Haribo qui montre les dents.

« CE FROMAGE EST BIEN FAIT ! hurle Loulou dans son pavillon auriculaire.

— Oui, répond-il, il me faudrait une corde avec un nœud comme ce fromage : bien coulant.

— QUOI ? VOUS AVEZ DIT QUELQUE CHOSE ? »

Ne nous racontons pas d'histoires : Marc Marronnier sera bientôt ivre. Déjà la nuit inverse ses hiérarchies. Les choses importantes deviennent accessoires, les détails les plus insignifiants semblent essentiels. Par exemple, les programmes de la télé. Il s'y accroche soudain. Les programmes de la télé, eux au moins, il peut leur faire confiance. Il ignore à quoi sert la vie, ce qu'est la mort et l'amour, si Dieu existe ou pas, mais il est sûr que le mercredi soir il y a « Sacrée Soirée » sur TF1. Les programmes télé ne le trahissent jamais[*]. C'est pourquoi Marc déteste les rentrées, où les chaînes modifient systématiquement leur grille de programmes. Terribles journées de remise en question ontologique !

« FAB ! »
Lise Toubon se jette sur Fab comme le comte Dracula sur un camion du Centre départemental de transfusion sanguine (non contaminé).

« Comment allez-vous ? lui demande-t-elle.
— Hypnagogique, en phase d'ionisation. »
Fab ne déteste pas les puissants. Il a récemment tagué le Palais-Royal sur commande. Mais il est gêné que ça se sache. Alors, même dans un univers techno-stable, il préférerait que Mme Toubon ne s'éternise pas. C'est sans doute la raison pour laquelle il a recours à un vieux stratagème pour la mettre mal à l'aise : il ne lui embrasse qu'une seule joue pour qu'elle tende l'autre dans le vide. La méthode fonctionne à merveille, et bientôt Lise s'éloigne de la table, un rictus crispé sur les lèvres.

« Je ne savais pas que tu la connaissais, dit Marc.

* Si. *(N.d.A.)*

74

— Everybody knows Lise! affirme Irène qui ne la connaît pas. Don't you think she looks scary without make-up? »

Cette Irène l'énerve de plus en plus. Il déteste cette manie des arrivistes qui consiste à « name-dropper » des prénoms de célébrités. « Hier j'étais avec Pierre chez Yves, et – rendez-vous compte! – son fax est tombé en panne », « L'autre jour, je rencontre Caroline chez Inès et nous avons dit du mal d'Arielle... » Sous-entendu : inutile de préciser les noms de famille puisque nous sommes tous des amis intimes des personnalités en question. Le sommet de la plouquerie parvenue. Ça donne une idée à Marc. Il profite d'une accalmie des Nique Ta Lope pour relancer la conversation.

« Si on jouait au Name-Forgetting? »

La tablée le regarde avec des yeux en billes de Roulette du casino de Monte-Carlo (le loto est trop *cheap*).

« C'est très simple, reprend Marc. Chacun à notre tour, nous allons citer une célébrité en faisant semblant d'avoir oublié son nom. C'est beaucoup plus drôle que le contraire, vous allez voir. On va lancer la mode! Bon, je commence. L'autre soir, je traînais au Flore et j'ai aperçu cette fille, là, vous savez, qui a joué dans *la Boum*... Mais si, la nana qui jouait le rôle principal, là... Son nom m'échappe...

— Sophie Marceau? lance Irène.

— Bravo! Mais il ne faut pas citer le nom du tout. Sinon, on revient au Name-Dropping, et là, c'est vous qui êtes spécialiste. À votre tour d'essayer, maintenant.

— Well..., réfléchit-elle, je pense à cette couturier homosexual, you know... avec les cheveux blonds très courts… il a fait les robes pour Madonna, you see? Jean-Paul…

— Pas de noms, s'il vous plaît!

— Hem… c'est une couturier qui a fait une perfume dans une boîte de conserve… OK?

— Je pense que tout le monde a saisi de qui il s'agissait. Bon, vous connaissez les règles du jeu. Alors, procédons au Name-Forgetting!

— Yo, dit Fab, leur nom m'échappe… J'ai dîné l'autre soir avec les deux aliens interstellaires aux appellations ruskoffs… Vous savez, les jumeaux de science-fiction…

— Moi, clame Loulou, j'adore aller danser chez cette grosse chanteuse rousse qui a vendu des night-clubs partout dans le monde… comment s'appelle-t-elle, déjà?

— Zut, je l'ai au bout de la langue, lance Marc. Et quel est le nom de ce gars chauve qui rabat ses cheveux sur son crâne pour présenter le journal de 20 heures, là… vous savez, celui qui s'est fait insulter en direct par une actrice kleptomane…

— Et le plagiaire à lunettes qui s'est fait virer de la Banque Européenne… Et le prognathe dépouilleur d'entreprises qui achetait les victoires de son équipe de foot…

— Sans mentionner le type, là, le gros avec un goitre… Mais si, vous voyez, celui qui est toujours tiré à quatre épingles… Ah, vous ne connaissez que lui… Un Smyrniote… Il me semble qu'il est Premier ministre ou un truc comme ça…

— Ah oui, celui qui cohabite avec l'autre, là, le petit vieux landais qui cligne des yeux…

— Voilà, c'est ça! »

Marc peut être fier de lui : désennuyer une table pareille relève de l'exploit. Il y a de fortes chances pour que son « Name-Forgetting » fasse le tour de Paris cet hiver. Comme le QBQ (Qui Baise Qui), lancé l'hiver dernier par un brillant écrivain dînatoire d'origine lyonnaise.

L'atmosphère enjouée et l'insouciance extrême de ces salonards endorment petit à petit la méfiance de Marc Marronnier. Ses désirs peuvent alors s'estomper et la mort l'inquiéter un peu moins ; dans les rires féminins, il finirait presque par prendre cela pour un agréable souper.

23 h 00

« Qu'auriez-vous fait si vous n'aviez pas été écrivain ?
— J'aurais écouté de la musique. »

Samuel Beckett à André Bernold.

Maintenant tout est bien. Marc Marronnier a le hoquet, il bave sur sa cravate à pois. Joss Dumoulin diffuse l'intro de « Whole lotta love » de Led Zeppelin. Les choses prennent tournure.

Dessus la table flotte une odeur de dessous de bras. Le dîner dégénère comme prévu. Douches de champagne, seaux à glace en guise de chapeaux, broncho-pneumonie en option. On danse sur les nappes. Cette année, la nymphomanie se portera collective. Les torses seront nus, les lèvres entrouvertes, les langues pointues, les visages mouillés.

Des filles attachées boivent du bourgogne aligoté. Des garçons mal élevés se mirent dans du verre dépoli. Les Hardissons vendent leur bébé aux enchères; Helmut Berger branle du chef; Tounette de la Palmira pue l'excrément; Guillaume Castel est amoureux. Personne ne s'ouvre encore les veines.

Les liqueurs ne sont pas encore avalées que déjà les maîtres d'hôtel poussent les tables pour dégager la piste de danse. Joss va bientôt entrer en scène pour de bon. Marc décide d'aller le déranger en plein boulot.

« Tu connais, hips, la différence, hips, entre une jeune fille du XVIe arrondissement, hips, et une jeune beur de Sarcelles ?

— Écoute, j'ai pas le temps, là, soupire Joss, accroupi sous ses platines en train de choisir des disques.

— Eh bien, hips, c'est simple : la jeune fille du XVIe a de vrais diamants, hips, et de faux orgasmes… alors que la jeune beur, hips, c'est le contraire.

— Très marrant, Marronnier. Excuse-moi, mais je peux pas te parler maintenant, OK ? »

Une fille potable, adossée au sas du disc-jockey, intervient soudain :

« Marronnier ? J'ai bien entendu Marronnier ? Vous voulez dire que vous êtes LE Marc Marronnier ?

— Lui-même, hips ! À qui ai-je l'honneur ?

— Mon nom ne vous dira rien. »

Joss les pousse hors de sa cabine. Ils ne s'en aperçoivent même pas et atterrissent sur deux tabourets au coin du bar. La fille n'est pas très jolie. Elle poursuit :

« Je lis tous vos articles ! Vous êtes mon idole ! »

Et d'un seul coup, c'est marrant, Marc la trouve beaucoup moins moche. Elle porte un tailleur coincé de femme active, genre attachée de presse. Son visage, assez carré, masculin, semble avoir été dessiné par Jean-Jacques Sempé. Ses jambes sont restées fines malgré des années d'équitation au Polo de Bagatelle.

« Ah bon ? dit Marc (toujours à la pêche aux compliments), vous aimez mes bêtises ?

— J'adore ! Vous me faites mourir de rire !

— Dans quel journal m'avez-vous lu ?

— Euh… Partout !

— Mais y a-t-il un article que vous ayez préféré ?

— Eh bien… tous ! »

À l'évidence, cette fille n'a jamais rien lu de Marc, mais quelle importance ? Elle lui a fait perdre son hoquet, c'est déjà quelque chose.

« Mademoiselle, est-ce que je peux vous offrir une limonade ?

— Ah non ! s'énerve-t-elle. C'est moi qui vous l'offre ! Je suis attachée de presse, je ferai une note de frais ! »

Marc avait deviné juste. Il est bel et bien en présence d'un spécimen de ce que les ethnologues appelleront plus tard la « femme des années quatre-vingt-dix » : moderne, impossible, avec des mocassins plats en daim. Il n'en revient pas que ça existe vraiment, et encore moins d'en approcher une d'aussi près.

Avant de la brutaliser sur le bar, il veut tout de même vérifier un dernier truc.

« *Pourquoi* êtes-vous attachée de presse ?

— Oh, ce n'est qu'une première expérience professionnelle. Mais tout à fait positive.

— Oui, mais *pourquoi* avoir choisi les relations presse ?

— Pour le contact, principalement. On rencontre beaucoup de people, vous savez.

— *Pourquoi ?*

— Ben… C'est un secteur complètement porteur au niveau des débouchés communicationnels. En période de morosité, il faut savoir s'orienter dans les branches à fort potentiel de croissance. Des pans entiers de notre économie sont menacés de *mort*! »

Ouf. Marc est soulagé. Son théorème reste valable, même si ce dernier cobaye a mis un certain temps pour réagir. Il faudra en tenir compte dans ses calculs : *le troisième « pourquoi » entraîne chez les attachées de presse un temps t de latence avant la réaction nécropositive.*

Il prend la fille par la taille. Elle se laisse faire. Il lui caresse le dos (elle porte un soutien-gorge à trois crochets, de bon augure). Il approche lentement son visage du sien… quand soudain toutes les lumières s'éteignent. Elle tourne la tête.

« Que se passe-t-il ? » dit-elle en se levant et l'entraînant sur la piste de danse.

Une clameur monte de la foule des invités amassés sous la bulle du DJ. La tête de Joss Dumoulin transperce l'obscurité, éclairée d'un faisceau orangé. Il ressemble à une citrouille d'Halloween (en smoking croisé).

« La nuit se lève, lâche-t-il dans son micro sans fil.

— JOSS ! JOOOSS ! » gueulent ses fans.

Son visage disparaît à nouveau dans le noir. Les Chiottes sont plongés dans les ténèbres. Quelques briquets s'allument, et s'éteignent vite : on n'est pas chez Bruel, et puis ça brûle les doigts, ces conneries. Au bout d'une longue minute de sifflets et de hurlements, Joss envoie le premier disque.

Une voix d'outre-tombe en quadriphonie. « JEF-FREY DAHMER IS A PUNK ROCKER. » Cris de la salle. Un battement techno incroyablement rapide vrille les tympans de Marc et la piste de danse n'est bientôt plus qu'une vague de corps en rythme ondulatoire. Joss est entré dans le vif du sujet. Il envoie vite le stroboscope blanc et les fumigènes parfumés à la banane. Philippe Corti fait sonner une corne de brume dans l'oreille de Marc, le rendant sourd pendant le prochain quart d'heure.

On ne devient pas le meilleur-disc-jockey-du-monde-de-l'année par hasard. Joss sait qu'il n'a pas le droit à l'erreur. Une fois la soirée lancée, il pourra se laisser aller à passer des disques plus originaux. Pour le moment, il n'a qu'un seul souci : que la piste de danse ne désemplisse pas. L'angoisse du disc-jockey au moment de l'enchaînement.

L'attachée de presse dessine des cercles imaginaires avec les bras. Serge Lentz fait un clin d'œil à Marc, le pouce levé, en signe d'approbation. Ce dernier hausse les épaules. Il trouve qu'elle danse très mal. Or il a entendu dire qu'une fille qui danse mal est forcément un mauvais coup. « Est-ce aussi vrai pour les garçons ? » se demande-t-il en soignant ses mouvements.

Qui sont tous ces gens ? Un cauchemar de disc-jockey. Des sauvages cravatés. Des dandies sales. Des aristocrates psychédéliques. Des lurons saturniens. Des noceurs divorcés. Des danseurs vénéneux. Des glandeurs besogneux. Des mendiants hautains. Des marionnettes nonchalantes. Des squatters crépusculaires. Des déserteurs belliqueux. Des cyniques optimistes. Bref, une bande d'oxymores ambulants.

Ils cumulent des oreilles décollées, des parents célèbres, des montres onéreuses. Ils vivent à fleur de peau de chagrin. Joss Dumoulin ? Ils n'en feront qu'une bouchée.

Le disc-jockey sait à quoi s'en tenir. Il ne prend pas de risques. Jugez plutôt par vous-même :

1) Lords of Acid : « I sit on acid ». The double acid mix.
2) Electric Shock : « I'm in charge ». 220 volts remix.
3) The Fabulous Trobadors : « Cachou Lajaunie » (Roker Promocion).
4) Major Problem : « Do the schizo ». The unijambist mix.
5) WXYZ : « Born to be a larve » (Madafaka Records).

Marc aurait préféré un choix différent :

1) Nancy Sinatra : « Sugar Town ».
2) The Carpenters : « Close to you ».
3) Sergio Mendes and Brasil '66 : « Day tripper ».
4) Antonio Carlos Jobim : « Insensatez ».
5) Ludwig van Beethoven : « Les Bagatelles » op. 33 et 126.

mais ce n'est pas lui qui décide*.

---

* Il était « easy-listening » avant l'heure ! *(N.d.A.* content de lui).

Marc rêve d'atteindre le style du stroboscope. De danser comme la vidéo quand on appuie sur la touche « image par image ». Il admire la techno pour cette seule raison : vous en connaissez beaucoup, vous, des musiques capables de faire bouger autant de monde avec si peu de notes ?

Joss descend sur la piste un mur de moniteurs et de scanners. Donne-nous aujourd'hui notre dose quotidienne d'images fractales et de spirales soûles. Le disc-jockey ne mélange pas seulement les sons, il veut tout marier : la prière, les clips, les amis, les ennemis, les lumières et les endorphines. La Grande Ratatouille Nocturne. Marc a le vertige. Il comprend qu'il se trouve dans la nuit définitive. Que cette soirée pourrait bien être sa dernière : la Nuit de la Fête Ultime.

C'est Paris dans la danse, un début d'apothéose. La multitude de corps en lévitation gracieuse. Ils ne font plus qu'un dans le tempo métronomique des boîtes à rythme. Les têtes ne portent qu'un seul corps, et cette pieuvre n'émet qu'un seul cri, monstrueux de pureté. Les dévots cyclothymiques s'aiment en cadence. La house acidulée soude les somnambules. Tous les noctambules ont peur du noir. Bienvenue dans la nouvelle église païenne à laser holographique tridimensionnel : rejoins-les vite, ceux qui croient dans le néo-disco. *Tu n'étais plus sûr de rien, tu hésitais, mais à présent tu es revenu et tu ris aux éclats, et des larmes de bonheur font dégouliner ton eye-liner car TON HEURE EST VENUE.*

Les bras se lèvent doucement, les jambes martèlent le sol, les boucles d'oreilles s'agitent, hochets iridescents, la lumière noire allume le blanc des yeux, et merde, on voit tes pellicules ! Tourner la tête, à droite, à gauche, des cheveux volants, des fesses balancées, c'est le carnaval des muscadins, un jamboree bisexuel ! Désormais, la seule chose qui intéresse Marc, c'est de savoir sur qui il va renverser le prochain verre.

La tête lui tourne. Tournicotis, Terracotta. Ses pulsions autodestructrices le reprennent : « On devrait toujours se tuer en public. À la rigueur, je comprends qu'un meurtre puisse être discret, mais le suicide se doit d'être exhibitionniste. Aujourd'hui, le seul suicide possible pour un Mishima moderne, c'est en direct à la télévision, de préférence pendant le prime-time. Ne pas oublier de programmer le magnétoscope. La cassette VHS servira de lettre d'adieu. »

Quelle danse choisir ? Va-t-il exécuter le « Tortue Twist » (remuer les quatre membres, allongé par terre sur le dos) ? Se lancer dans le « Question Mambo » (tourner en dessinant un point d'interrogation avec l'index droit) ? Exécuter la périlleuse « Fatwa météorologique » (enfoncer le pied dans la gorge de votre cavalière tout en l'énucléant en rythme, tourner à 45 degrés, répéter « AYA-TOL-LAH » sept fois crescendo, rendre votre dîner sur toute personne ressemblant physiquement à Alain Gillot-Pétré – voire le vrai, si possible – puis recommencer l'enchaînement ad lib) ?

Marc opte en fin de compte pour sa danse préférée : la « Tachycardie ».

Sur le sol, il sait ce qu'il veut.

Il veut une suave irréalité.

Il veut des musiques multicolores et des alcools à talons hauts.

Il veut qu'on se coupe les doigts en lisant ses pages.

Il veut bondir comme le vu-mètre de sa chaîne hi-fi.

Il veut voyager par fax.

Il veut que tout n'aille pas trop mal, mais que tout n'aille pas trop bien non plus.

Il veut dormir les yeux ouverts, pour ne rien rater.

Il aurait aimé tenir l'alcool.

Il veut des caméscopes à la place de ses yeux, avec son cerveau pour salle de montage.

Il veut que sa vie soit un film de Roger Vadim Plemiannikov datant de 1965.

Il veut qu'on lui fasse des compliments en face et qu'on dise du mal de lui dans son dos.

Il ne veut pas être un sujet de conversation. Il veut être un sujet de dispute.

Par-dessus tout, il veut un beignet à l'abricot, bien poisseux, et le manger assis sur du sable en regardant les vagues, n'importe où. La confiture collera aux doigts, il faudra les lécher, cette débauche de sucre sous le soleil, de quoi finir caramélisé. Un avion traversera stupidement le ciel en traînant une pub pour une crème solaire. Alors il étalera la confiture d'abricot sur son visage et défiera les rayons ultra-violets en ricanant dans le vide.

> *Une femme chantera*
> *Sous la véranda*
> *Manuel de Falla*
> *En Alcantara.*

Y aura-t-il des bougainvilliers ? OK. Va pour les bougainvilliers. Et une pluie tropicale aussi, diluvienne ? Bon d'accord, mais juste à la tombée du jour, pendant les cinq minutes qui suivent le rayon vert. Et surtout, n'oubliez pas le beignet à l'abricot. Zut, un beignet à l'abricot, c'est tout de même pas compliqué ! Marc ne demande pas la lune !

« Alors, Marc, on fatigue ? » devine l'attachée de presse en lui tendant la main pour le relever.

Il recommence à danser en s'époussetant. Il baisse les yeux. Sa tête tourne. La soirée commence à peine et il a déjà la gueule de bois. *No eye contact*. Croiser trop de regards est anxiogène, en particulier pendant un titre de speed-core, quand la lumière rasante découpe une forêt de bras levés. Les épaules luisantes de ses voisines réfléchissent les rayons laser comme autant de cataphotes miniatures. Il regarde ses chaussures en attendant le gong, tout en sachant que celui-ci n'arrivera qu'après le KO. N'est-ce pas ce qu'il est venu chercher ici : quelque chose à regarder, au milieu de ces absents qui ont toujours raison ? Et ces deux chaussures de luxe ne sont-elles pas surtout deux pieds sur terre ?

Chacun se débat comme il peut. Certains cherchent à engager des conversations malgré le bruit. Ils sont condamnés à se répéter souvent et à torturer des oreilles frappées d'hypoacousie. Dans la *ballroom*, personne ne vous entendra crier. Le plus souvent, ils échangent moins des propos que des faux numéros de téléphone, griffonnés sur le dos d'une main en espérant mieux.

D'autres gardent leur verre à la main en dansant et se donnent une contenance instable en le portant à leurs lèvres, contenance qu'il leur arrive de perdre quand un coup de coude malvenu éclabousse leur plastron. Dans la mesure où l'on ne peut ni boire ni parler sur cette piste, la contemplation de ses souliers semble à Marc une occupation éthiquement supportable.

N'allez pas croire que l'absurdité de la situation puisse lui échapper. Au contraire, jamais il n'a été plus conscient de sa condition de jeune idiot des beaux quartiers, qu'en se secouant sur ce sol de marbre blanc, s'imaginant rebelle alors qu'il n'est que privilégié, seul au beau milieu d'une troupe de blasés enthousiastes, sans aucune excuse valable, tandis que des millions de gens couchent dehors par moins 15 degrés sur des morceaux de carton déchirés. Il sait tout cela, et c'est aussi pourquoi il baisse les yeux.

Par moments, Marc se regarde vivre, à la façon de ces gens qui, frôlant la mort, sortent de leurs corps et se voient de l'extérieur. Marc est alors sans merci, il déteste ce grand con, il ne lui passe rien. Cependant il finit toujours par réintégrer son enveloppe corporelle, en maugréant.

À défaut d'être pardonnées, sa honte, son impuissance, pareille capitulation peuvent s'expliquer. Qu'y peut-il? Le monde ne veut plus changer. Regarder ses chaussures dans une boîte de nuit et draguer une attachée de presse, voilà le seul idéal du moment. Il se souvient de la fameuse histoire du rince-doigts, qu'on attribue tantôt au général de Gaulle, tantôt à la reine Victoria. Un roi africain, reçu très cérémonieusement au palais, avait bu l'eau de son rince-doigts à la fin du repas officiel. Par diplomatie, le chef de l'État réceptionnaire avait aussi porté le récipient à ses lèvres et l'avait entièrement vidé, sans broncher. Tous les invités présents en avaient fait autant.

Cette anecdote lui paraît une parabole de notre temps. Nous menons tous des vies absurdes, grotesques et dérisoires, mais comme nous les menons tous en même temps, nous finissons par les trouver normales. Il faut aller à l'école au lieu de faire du sport, puis à la fac au lieu de faire le tour du monde, puis chercher un boulot au lieu d'en trouver un… Puisque tout le monde fait pareil, les apparences sont sauves. Le but de notre époque matérialiste est d'étancher les rince-doigts.

« Mon prochain livre s'intitulera "la Soif du rince-doigts", dit Marc à l'attachée de presse des années quatre-vingt-dix. Ce sera un essai sur la société postlipovetskienne. J'en vendrai huit exemplaires. »

Ils sont retournés au bar. Elle sourit, découvrant de belles dents blanches, mais voilà que Marc se lève très vite, bredouille de vagues excuses et s'enfuit, car un petit morceau de laitue est resté coincé entre les incisives de la demoiselle, ridiculisant son sourire à jamais.

Dommage, il ne saura jamais son prénom.

0 h 00

« Que peut-on offrir à une génération qui a grandi en
découvrant que la pluie était du poison et que le sexe
menait à la mort ? »

GUNS N'ROSES.

Il est minuit, les filles sont mi-nues, Marc est minable. La furia bat son plein. L'univers remue son chaos sidéral, une mer de confettis bigarrés. Un acid-sirtaki durera une demi-heure sans lasser.

Marc erre du bar à la piste, et retour. Les verres de Lobotomie le travaillent au corps. Il communique par télépathie avec l'infrabasse pneumatique. Joss s'y connaît pour hypnotiser les fêtards. Ce soir, il est en passe de réaliser son chef-d'œuvre, en direct et sans filet. Il mixe six platines en simultané : Zorba le Grec, techno-transe, friselis de violons, flûte des Andes, cliquetis de machines à écrire, entretiens Duras-Godard. Demain, de tout cela ne restera rien. Fab distribue des sifflets pour aggraver la situation.

La danse s'égare en une suite de syncopes et de résurrections. La danse est un évanouissement en boucle, une philosophie frénétique, une théorie de la complexité. La danse s'appelle reviens. C'est le tour de manège de chevaux numériques sur un carrousel détraqué. Un cercle s'est formé. On se tient par les épaules. Tout tourbillonne autour. Une seule chose est sûre : les filles ont plusieurs seins.

Marc ferme les yeux pour ne plus les voir et les phosphènes diaprés décuplent son tournis. Toutes ces filles nues sous leurs vêtements ! Admirables nombrils, délicieux tendons, nez mutins, nuques fragiles... Toute sa vie, la possibilité de ces jeunes *flappers* stretchées dans leurs petites robes noires, l'éventualité de ces créatures évaporées avec frange sur les yeux l'ont découragé de sauter dans le vide.

En général, leur prénom se termine par un « a ». Leurs cils interminables sont recourbés comme un tremplin de saut à ski. Quand vous leur demandez leur âge, elles répondent « vingt ans » comme si de rien n'était. Elles doivent se douter que leur âge est ce qu'elles ont de plus sexy. Elles n'ont jamais entendu parler de Marc Marronnier. Il va être obligé de mentir, de frôler leur main, de s'intéresser aux études de Relations Internationales, de faire le nécessaire. Elles ont grandi trop vite, ignorent encore les codes secrets. Elles vont tomber dans le panneau. Elles mordilleront distraitement leur pouce en l'écoutant citer Paul Léautaud. Un rien les épatera. Oui, Marc connaît Gabriel Matzneff et Gérard Depardieu. Oui, il est passé chez Dechavanne et Christine Bravo. Pour ces proies, il tordra le cou à tous ses principes, il oubliera le « Name-Forgetting ».
Au moment où il s'y attendra le moins, peut-être lui effleureront-elles les lèvres en le priant de les raccompagner dans leur petite chambre de bonne sans bonne. Les suivra-t-il ? Les embrassera-t-il dans le cou et le taxi ? Jouira-t-il dans la cage d'escalier et son pantalon ? Un poster de Lenny Kravitz sera-t-il punaisé au-dessus du lit ?

Combien de fois feront-ils l'amour? Finiront-elles par s'endormir, nom de Dieu? Découvrant le dernier Alexandre Jardin sur leur table de chevet, Marc se retiendra-t-il de fuir à toutes jambes?

Il rouvre les yeux. Ondine Quinsac, la célèbre photographe, s'ennuie au champagne avec plusieurs play-boys qu'elle rabroue tendrement. Des demi-mondaines retapées jouent les hermaphrodites, sans doute afin de rester demi-quelque chose. Henry Chinaski met la main aux fesses de Gustav von Aschenbach qui ne proteste pas. Jean-Baptiste Grenouille respire les aisselles d'Audrey Horne. Antoine Doinel boit au goulot le mescal du consul Geoffrey Firmin, délinquant sénile de service. Et les Hardissons jouent au rugby avec leur bébé.

On s'enivre de cocktails latino-américains et de calembours germano-pratins : il faut de tout pour défaire un monde.

Brusquement, les lumières se tamisent et un vieil air flemmarde au-dessus de cette faune inter-lope : « Summertime », par Ella et Louis. Joss annonce le quart d'heure américain au micro. Marc profite de l'occasion pour aborder Ondine Quinsac :

« C'est le quart d'heure américain, donc je vous invite à m'inviter à danser. »

La photographe est cernée de partout : par de jeunes barbons et sous ses yeux bistrés. Elle le toise des pieds à la tête.

« J'accepte, à cause de "Summertime", ma chanson préférée. Et puis... vous ressemblez un peu à William Hurt, en plus moche. »

Elle l'enlace et fredonne les paroles d'une voix rauque en le regardant droit dans les yeux.

« *Oooh your daddy's rich and your ma is good-looting / So hush little baby dont you cry...* »

D'aussi près, Marc peut lire dans ses pensées. Elle a trente-sept ans, pas d'enfants, fait un régime depuis six mois, n'arrive pas à arrêter de fumer (d'où son accent grave), est allergique au soleil, met trop de fond de teint ainsi qu'une pommade anti-cernes inefficace. Sa stérilité la rend dépressive et sa dépression la rend attendrissante.

« Donc, reprend-il, je suis en train de danser un slow avec la photographe à la mode. Vous ne voudriez pas m'engager comme top-model?

— Ah non, vous êtes trop malingre. Il faut faire un peu d'exercice et repasser me voir plus tard. D'ailleurs je sens que la mode ne doit pas être votre truc. Vous avez l'air si sain, si normal...

— Si hétéro... si banal... Non mais allez-y, continuez à m'insulter! »

Avons-nous signalé le rire tonitruant de Marc, qui éclate bruyamment à chacune de ses propres blagues, incontrôlable, magnifique, horripilant? Non. Voilà qui est fait. Tiens, Joss a changé de disque.

« Tiens, Joss a changé de disque, dit Ondine. Encore un slow. C'est Elton John?

— Oui : "Candle in the wind", un hymne à Marilyn Monroe et aux photophores hollywoodiens. Suis-je réinvité à danser? »

Ondine approuve.

« Je suppose que je n'ai pas le choix.

— C'est exact : si vous aviez refusé, j'aurais écrit dans tous les journaux que vous étiez lesbienne. »

Les femmes de quarante ans excitent Marc. Elles ont tout : l'expérience et l'enthousiasme. Mères maquerelles et pucelles effarouchées, à la fois. Elles croient que c'est une chance de devoir tout vous apprendre !

« Vous êtes un ami de Joss Dumoulin ?

— À une époque, on a pas mal trinqué ensemble, ça crée des liens. Ça s'est terminé à Tokyo, il y a cinq ans.

— J'aimerais faire son portrait. Je prépare en ce moment une exposition de portraits de célébrités suspendues à une poulie, avec du lait concentré sur les joues. Vous pourriez lui en parler ?

— Je pense que cette excellente initiative ne pourra que l'intéresser. Mais *pourquoi* faites-vous ça ?

— L'expo ? Oh, c'est pour montrer le rapport étroit qu'il y a entre la photographie, la sexualité et la mort. Enfin, je résume un peu, mais c'est l'idée. »

Marc note sur un Post-it : « La démonstration de l'axiome des Trois Pourquoi ne nécessite parfois qu'un seul "pourquoi", quand le sujet d'expérimentation présente un visage hâve, un caractère taciturne, et une robe de tulle. »

Le quart d'heure américain va s'achever. Fab danse le slow, pris en sandwich entre Irène de Kazatchok et Loulou Zibeline. Clio s'est réveillée pour inviter à danser William K. Tarsis III, un héritier oisif à voix de castrat, et se rendormir sur son épaule. Sa lèvre inférieure tremble dans les spots jaunes. Ari, un copain de Marc (concepteur de jeux vidéo chez Sega), vient le déranger :

« Méfie-toi d'Ondine, c'est une nympho ultra-violente !

— Je le sais, sinon pourquoi crois-tu que je l'aurais invitée à danser ?

— Ah non, je ne vous permets pas ! proteste la photographe. C'est moi qui vous ai invité à danser, et pas le contraire. »

Ari ressemble à un Luis Mariano qui serait né dans le Bronx. Il continue de danser près d'eux. Dès que Joss annonce la fin du quart d'heure américain, il se jette sur Ondine.

« Allez, à mon tour maintenant ! Interdit de refuser ! »

Marc n'est pas assez possessif et bien trop lâche pour rouspéter. Et la photographe garde un visage lisse, sans expression, aux yeux inhabités. Si jamais elle joue la comédie, elle mérite l'oscar de la Meilleure Indifférence.

« It was nice to meet you », laisse tomber Marc en les quittant sans se retourner.

Ari et Ondine l'ont sans doute déjà oublié. Dans les fêtes, rien n'a le droit de durer plus de cinq minutes : ni les conversations, ni les êtres. Sinon, on risque pire que la mort : l'ennui.

Tout d'un coup, Clio disjoncte complètement. Il doit rester un peu d'Euphoria dans ses veines. Imaginez Claire Chazal en robe de latex dans un remake de *l'Exorciste* et vous aurez un aperçu de la scène. On s'attroupe autour d'elle. Elle crie « I love you » en serrant des flûtes à champagne jusqu'à l'explosion du cristal. Du coup, ses mains bouillonnent de sang et de bris de verre. Ses paumes sont perdues à jamais pour la chiromancie.

« ALOOONE ! SEULE ! SEUUULE ! »

En voyant la tête de Joss, puis celle de son amie l'attachée de presse moderne à son côté, Marc comprend que Clio a dû surprendre ces deux-là dans la cabine du disc-jockey en train de choisir le prochain disque, à quatre pattes, ou quelque chose d'approchant. Il lance à Clio :

« Dumoulino en a plein les naseaux ! Tu t'es fait larguer ? Eh bien moi, je suis les dix de retrouvés ! Quand est-ce qu'on baise ?

— Non merci, j'ai arrêté », renifle Clio.

Il saisit alors une bouteille de Jack Daniels et la lui vide sur les mains pour la désinfection (Marc n'a manqué son brevet de secouriste que de très peu). Les cris de Clio couvrent la sono de 10 000 watts pendant au moins douze secondes. Ses yeux sont si exorbités qu'elle ressemble à un morphing. Elle énumère une liste d'insultes anglaises à peu près exhaustive, puis sèche ses larmes. Les badauds se dispersent, et c'est ainsi que Marc entraîne Clio dans son sillage pour la deuxième fois, toujours par son joli poignet nu et ensanglanté.

Musique : « Sweet harmony » des Beloved.

« Let's come together	*« Jouissons ensemble*
Right now	*Tout de suite*
Oh yeah	*Oh oui*
In sweet harmony	*En douce harmonie*
Let's come together	*Jouissons ensemble*
Right now	*Tout de suite*
Oh yeah	*Oh oui*
In sweet harmony	*En douce harmonie*
Let's come together	*Jouissons ensemble*
Right now	*Tout de suite*

Oh yeah	*Oh oui*
In sweet harmony	*En douce harmonie*
Let's come together	*Jouissons ensemble*
Right now	*Tout de suite*
Oh yeah	*Oh oui*
In sweet harmony »	*En douce harmonie* »

Tout un programme.

Ils s'assoient sur une banquette, la main de Clio sous un rai de lumière, et Marc entreprend d'en retirer un à un les morceaux de verre pilé.

« Marc, j'ai soif, gémit la mannequin intoxiquée, entre deux plaintes.

— Ah non ! Fini les caprices !

— Je peux boire dans ton verre ? »

Elle lorgne sur sa Lobotomie *on the rocks*.

« Are you crazy ? Je n'ose même pas imaginer ce qui se passerait si tu mélangeais ça avec... (Marc se ravise : il se souvient qu'il l'a droguée tout à l'heure *à son insu.)* Enfin, bon... Puisque tu insistes, je vais te chercher un verre d'eau... »

Et il se lève en pestant tout bas contre les progrès de la pharmacopée.

Ondine Quinsac est allongée sur le bar, sa robe de tulle retroussée. Ari l'a recouverte de crème Chantilly et la pourlèche avec d'autres amis serviables, ce qui retarde le service du barman. C'est pourquoi Marc met un bon quart d'heure à obtenir son verre d'eau et le rouleau de gaze dont la jeune modèle a besoin, de toute urgence.

Lorsqu'il revient à sa banquette en s'essuyant les babines, Clio termine juste le verre de Lobotomie, lui sourit, puis s'endort en chantant. Consternation.

Marc soupire et lui enroule les mains dans le pansement, en buvant le verre d'eau. Il ne sait plus grand-chose. Il ne croit plus en rien – et même ça, il n'en est pas certain. Il devrait lui parler mais il ferme sa gueule. Or qui ne dit mot se sent con.

La photographe à la crème Chantilly se fait à présent posséder collectivement. Un type devant, un autre dessous, Ari derrière. Cette technique porte un nom : le taylorisme.

(Si Marc ne réagit pas très vite, Clio va mourir d'overdose sur ses genoux : le mélange alcool-ecstasy à haute dose peut emballer le rythme cardiaque.)

Sentant monter l'inspiration, il sort son bloc de Post-it Notes et rédige une strophe de décasyllabes.

> *Elle s'évertue à perdre sa vertu*
> *Depuis le début elle est éperdue*
> *Elle est tellement nue qu'elle en éternue*
> *Depuis le début elle était perdue.*

(Clio écume sur la banquette, les yeux révulsés, le visage anémique.)

Marc est satisfait de ce quatrain. Soulignons au passage l'homonymie parfaite des vers 2 et 4.

(Le cœur de Clio bat à tout rompre.)

Récapitulons. Le bilan de Marc n'est pas reluisant. Une vieille journaliste l'a collé pendant le dîner et son autre voisine de table sort maintenant avec Fab. Il s'est dégonflé devant une mignonne attachée de presse qui n'attendait que lui : elle se pavane à présent avec le disc-jockey-star. Quant à la quadragénaire dépressive avec qui il a dansé deux slows, la moitié de la party est en train de se la farcir sur le bar.

(Les dents de Clio grincent, une mousse blanchâtre ourle la commissure de ses lèvres.)

La seule nana qui reste avec Marc, cette pauvre Clio, est défoncée au dernier degré.

(Les jambes de Clio souffrent de crampes abominables qu'elle ne sent même plus dans sa tétanie.)

D'ailleurs, la Clio en question, Joss vient de la laisser tomber comme une vieille chaussette.

(La température de Clio oscille entre 36 et 43 degrés centigrades.)

La vérité, la voilà : la seule nana que Marc pourrait se taper est camée jusqu'à l'os et en plus, pas question de se taper les restes d'un copain.

(Le corps de Clio est parcouru de sueurs algides.)

Vraiment, Marc, tu n'assures pas des masses.

(Les entrailles de Clio se tordent comme une chaussette essorée par la mère Denis.)

Quelle idée, aussi, cette phrase nulle : « Mademoiselle, est-ce que je peux vous offrir une limonade ? » Marronnier, tu es ballot.

(L'électro-encéphalogramme de Clio s'approche du rectiligne.)

Et puis merde, elle pèse une tonne, cette Clio !

(Le pouls de Clio cesse de battre. C'est fini : mort clinique.)

Marc regarde sa robe de latex, son dos blanc, son visage émacié... Elle a une expression bizarre... Il y a un mot pour ça, un mot très fin de siècle : elle a une expression *torse*. Avec ses mains bandées, son estomac rempli d'acide et d'alcool, elle dégage un charme faisandé. Ses longs cheveux s'étalent sur la banquette. On dirait une déesse décadente. Même son torse est *tors* ! Marc a pitié d'elle. Il se penche pour l'embrasser, mais, comme elle est allongée sur ses genoux, son corps appuie sur le ventre de Marc chaque fois qu'il se penche sur elle. Du coup, lorsqu'il l'embrasse, il expire en même temps de l'air dans les poumons de Clio, qui finit par ressusciter, à force.

Dans le centre du monde (le club privé LES CHIOTTES, à Paris, vers la fin du deuxième millénaire après J.-C., peu avant une heure AM), un jeune godelureau vient de sauver la vie d'une demoiselle engourdie. Personne ne s'en est rendu compte, pas même eux. Peut-être bien que Dieu n'était pas encore couché, à cette heure-là.

1 h 00

« Je bois envie de vomir je joue envie de partir I fuck envie d'autre chose et fucking in the blue je marche et ne meurs jamais. »

JEAN D'ORMESSON de l'Académie française,
Histoire du Juif errant.

Sur la piste de danse, des questions sont posées.
« T'aurais pas quatre millions de francs ?

— Tu crois que Dolly Parton prend du Doliprane ?

— Qu'est-ce que ça fait de rouler une pelle à une polyglotte ?

— Que faites-vous pour le réveillon du 31 décembre 1999 ?

— Ce jerk risque-t-il d'accélérer mon accouchement ?

— Une fois qu'on rentre facilement chez Castel, y a-t-il d'autres buts dans la vie ?

— Est-il déconseillé de faire l'amour avec des fruits et légumes ?

— Peut-on encore jouer au golf depuis que Mitterrand y joue ? » sans oublier la seule interrogation importante :

« Comment détecter quand une femme *simule* ? »

Marc est de nouveau accoudé au bar, le nez plongé dans un Cata-Tonic. Il a laissé Clio cuver ses mélanges létaux sur la banquette. Son haleine de zombie a fini par le démotiver. Alors voici

Marc seul une fois de plus, à regarder les heures fondre. Sauf erreur, nous sommes ici en présence d'un autre mythe. Sisyphe habite Paris, porte une cravate à pois, est âgé de moins de trente ans. Chaque lendemain de fête, il jure qu'il ne sortira plus jamais. Ensuite, le soleil se couche, et Sisyphe Marronnier ne résiste pas forcément à la tentation. À la longue, il devient presque insensible à cet enfer. Sisyphe et Mithridate, même combat !

Il finira sa vie tout seul sur un banc public, à insulter les passants. Il ne sentira pas bon. Devant lui, les jolies filles se pinceront le nez en accélérant le pas. Certaines lui jetteront une petite pièce. Il l'aura bien cherché.

Son voisin de bar (« barfly » en californien) se penche vers son oreille. Ses pupilles ressemblent à une chorégraphie de Busby Berkeley. Il sue des tempes et écarquille les yeux. Sa bouche est agitée de tics comme si quelqu'un lui écrasait les orteils et le chatouillait en même temps. Marc finit par reconnaître Paolo Gardénal, un acteur mafflu confiné aux rôles de flics morts.

« Tu es Marc Marronnier, mon ennemi personnel ? Écoute, on fait la paix, il faut que je te dise quelque chose d'hyper-important, c'est super supervrai ce que je vais te dire, tu m'entends ? Écoute-moi bien : on vit quand on vit. Tu te rends compte ? Hein ? Tu saisis ? ON VIT QUAND ON VIT ! Putain !

— Dis-moi, Paolo, tu es sûr que tu as complètement arrêté la coc ?

— Alors, ça, tu me déçois de dire des trucs pareils... Moi, je te dis juste quelque chose d'ES-SENTIEL (il saisit les revers de sa veste), un truc que j'ai compris à l'instant, et tu te sens obligé d'être désagréable... Évidemment que j'ai arrêté cette saloperie... (Un temps d'arrêt.) Pourquoi, t'en AS ? »

Il s'essuie le nez avec une serviette de table dégueulasse. En fait, il étale plutôt les restes du dîner sur ses joues. D'habitude, il déteste Marc à cause d'un article qu'il a écrit sur son dernier film, dans lequel il regrettait que son décès fût truqué.

« Paolo, tu fais une épistaxis.

— Hein ?

— Tu saignes du nez ! »

Paolo se gratte la narine et inspecte sa serviette de table. Marc profite de cette diversion pour prendre le large, à reculons. Cela dit, en y réfléchissant, il l'approuve assez. La plupart du temps, effectivement, on vit quand on vit. Marc l'a constaté à maintes reprises.

Sur ces entrefaites surgit Solange Justerini, la vedette d'un feuilleton télévisé, et surtout une ex de Marc. Ce n'est qu'une grande fille toujours de bonne humeur, souriante, dans un fourreau de lamé or assorti à ses cheveux blonds. Une solution de facilité à pattes.

« Alors, toujours folle de moi ? lui dit-il.

— Idiot ! Elle est géniale cette soirée, non ?

— Ne détourne pas la conversation : il paraît que les ex gardent toute leur vie la nostalgie de leurs anciens petits amis. Pas envie de vérifier ces racontars ? »

Solange hésite entre l'éclat de rire et la gifle. Finalement elle hausse les épaules.

« Toujours aussi puéril, mon pauvre.

— Ça marche pour toi, on dirait… Je t'ai vue en couverture de *Glamour*, bravo.

— Oui, ça a l'air de démarrer pas trop mal. »

Elle a récupéré son sourire. Elle est si tendre. Marc a oublié ce qui clochait entre eux. Pourquoi se sont-ils quittés ? Et puis, d'un seul coup, il se souvient : sa gentillesse affreuse. Elle était étouffante de douceur et d'attentions. Sa gentillesse le rendait méchant. Elle donnait envie de lui faire de la peine. D'ailleurs, ça le reprend, maintenant.

« Il n'est vraiment pas terrible, ton feuilleton.

— Ah bon, tu trouves ?

— Attends, ce n'est pas grave, tu as raison de le faire pour te lancer. Tous les grands acteurs ont commencé par des nullités crasses.

— Quoi ?…

— Enfin, j'exagère peut-être, d'ailleurs je ne l'ai jamais vu. Je ne fais que répéter ce que tout le monde raconte.

— Ah ? »

Solange semble effondrée. Elle vit entourée de flatteurs : dans ces cas-là, on oublie vite combien il est vexant de se voir critiqué en face par quelqu'un de proche. Elle tripote une broche en forme de cœur sur sa robe dorée. C'est fou comme Marc n'a pas pitié d'elle.

« Tu n'aurais pas un peu grossi, par hasard ?

— Connard.

— Il est ici, ton nouveau mec ?

— Ouais, c'est le grand costaud là-bas, Robert de Dax. C'est lui qui coproduit mon feuilleton. Tu

114

veux qu'on aille lui répéter ce que tu viens de me dire ?

— Grotesque. T'es toujours aussi sotte, ma pauvre fille. Et cesse de tripoter cette broche ridicule, tu m'agaces. Tu n'es pas très en forme physiquement. Allez, ciao. »

C'en est trop : la mignonne comédienne pleurniche.

« C'est ça, va-t'en ! Casse-toi ! Ton opinion n'a jamais compté pour moi ! TU n'as jamais compté pour moi ! »

Elle tourne les talons. Marc est hébété par sa propre goujaterie. Comment a-t-il pu être aussi antipathique avec quelqu'un d'aussi inoffensif ? Il ne se reconnaît plus. Il la rattrape, la prend par la taille, lui tend son mouchoir de soie, lui demande pardon à genoux, embrasse ses bras, ses phalanges, ses ongles, regrette sincèrement d'être aussi minable, la supplie de le gifler :

« Je blaguais ! Tu es sublime ! C'est génial ce que tu fais ! Il a l'air sympa ton mec ! Et ta broche est ravissante ! Je t'en supplie, arrête de pleurer ! Fous-moi une baffe ! »

Mais il est trop tard. Solange le repousse et court rejoindre son producteur. Marc doit accepter la dure réalité : même ses ex ne veulent plus de lui. Il doit mal s'y prendre quelque part.

Un nouvel attroupement se crée près de la piste de danse. Marc va voir. Une soirée, c'est cela : une suite de micro-événements qui promènent les invités comme des mouches zappeuses. Cette fois, c'est Louise Ciccone qui accouche au beau milieu des danseurs[*]. Ses amis travestis jubilent de s'improviser sages-femmes. Ils finissent par avoir raison du cordon ombilical, grâce à un tesson de bouteille providentiel. Le nouveau-né est baptisé au champagne par Manolo de Brantos, un jeune séminariste barbu, qui s'évanouit peu après. Dans un coin, l'un des travelos sanglote d'émotion : il vient de se rendre compte qu'on ne peut pas allaiter un bébé avec des seins en silicone.

Les écrans de télé diffusent des images de la faim en Somalie et l'on danse sur « Trouble », une chanson de Cat Stevens, dans une version garage. Marc rajoute de l'orange pressée dans son cocktail, puis décide de traverser la piste de danse allongé par terre, en dos crawlé.

Un peu plus tard, dans la cabine du disc-jockey, Marc réclame du hard-rock. Son costard a souffert dans la traversée : il est grisâtre, avec les deux poches extérieures arrachées.

« Il faut réveiller ces clampins ! » éructe-t-il.

Joss Dumoulin se laisse convaincre. Il saisit « Highway to hell », et bientôt le célèbre riff binaire déchire l'espace.

« Hé, Joss !

— Ouais ?

— Je trouve les nymphomanes sacrément platoniques, ce soir.

— Parle pour toi ! »

---

[*] Quel don de prémonition ! À l'époque où ce roman a été écrit, Madonna n'était pas encore enceinte. (*N.d.A*, qui a insisté.)

Joss se tourne vers l'attachée de presse en tailleur qui se rhabille dans un coin de son box. Tout va bien pour lui. Visiblement, il a abusé de remontants chimiques. Sa transpiration pue la Métoxy-méthylène-dioxy-amphétamine, une odeur facile à identifier : ça sent la *fraise des bois à l'ail*.

« Comment s'appelle-t-elle ?

— Elle ? Je sais pas, demande-lui ! Et où est passée ma petite Clio ?

— Dans les bras de Morphée.

— C'est qui, celui-là ? »

Un crépitement de flashes dans l'escalier interrompt ce dialogue crucial. C'est Jean-Georges qui arrive à dos de chameau. On ne présente plus Jean-Georges, dit « le Roi de la nuit », dit « l'Omniprésent », dit « l'Inconnu célèbre », dit « KING OF ZE NAÏTE ».

Il jure qu'il voulait venir sur un éléphant mais que son loueur d'animaux n'en avait plus un seul ce soir.

« Je me suis décidé à venir à 23 h 07, j'ai passé mon smoking vers 23 h 34, je suis descendu dans la rue à 23 h 46, j'ai plié ma Jaguar à 0 h 02 précises, je me suis parfumé le cou (avec « Semence de Roger » de chez Annick Goûtue, produit de qualité) aux alentours de 0 h 23, j'ai apprivoisé le chameau à 0 h 42, fondé un parti anarchiste à 0 h 50 : ladies and gentlemen, mille excuses pour ce léger retard. »

Il salue la foule de la main. Jean-Georges soigne ses arrivées. Derrière lui, une ribambelle de fillettes prépubères joue au cerceau. Il lâche des pétales de fleurs blanches en pluie sous les pas du chameau perplexe. Une de ses demoiselles d'honneur s'accroupit pour faire pipi sur les marches.

Par la suite, il déclenchera une bataille de lances à incendie, plusieurs fornications, des fessées, des dépucelages, des jeux aux règlements variables (la roulette russe, la roulette zaïroise, la roulette tropézienne) et fera ami-ami avec le bébé des Hardissons. Peu après cette belle arrivée sous les acclamations, il soupèse déjà les seins de Loulou Zibeline.

« Voilà de la bonne rotondité française, une double excroissance laiteuse d'excellent aloi!

— Dear Loulou, dit Irène avec son accent britannique, permettez-moi de vous introduire John-Georges. (Notez l'emploi intentionnel du faux ami du verbe « *introduce* ».) The funniest guy I know.

— C'est vrai qu'il est rigolo, coupe Marc. Vous connaissez celle du fou qui repeint son plafond? C'est lui qui l'a inventée. »

Marc fatigue. Fab le prend à part.

« T'en fais une tête... Cool, man. D'où sortent ces pixels négatifs?

— Non, ça va, j'ai dû boire un coup de trop, c'est tout. »

Fab l'entraîne un peu à l'écart, à l'abri des regards indiscrets. Il sort un sachet de plastique transparent de son survêtement, contenant une poudre jaunâtre.

« Easy, boy... La situation est sous contrôle. Inhale un peu mon Special K : un tiers de coco, un tiers de tranquillisant pour cheval, un tiers d'avorteur pour chats. Après, restera plus qu'à danser ta vie sous les étoiles baléariques.

— Mais qu'est-ce que vous avez tous, à vouloir que je vous ressemble? Garde ton poison pour Clio, là-bas sur sa banquette! »

Marc désigne du doigt la rescapée qui ronfle sur les coussins, nu-pieds. Ses tongs à plates-formes traînent sous la table, au milieu des verres cassés. Le croyant pris d'un accès de paranoïa aiguë, Fab le plante sur place, effrayé :

« Ouh là ! Je te parle prophylaxie et tu me réponds bad trip ? Branche le pilote automatique, man... »

Comment Marc pourrait-il lui expliquer qu'une note basse bourdonne dans sa tête, un fond sonore continu, plus qu'une migraine : un permanent bruit d'usine, et que ça ne le laisse jamais en paix, jamais, même quand il est entouré de gens, même quand la techno est diffusée au volume maximal, toujours Marc continue d'entendre cette satanée machinerie faire les trois-huit. Comment te faire comprendre ça, Fab ?

Une fois de plus, Sisyphe Marronnier se réfugie au bar. Il préfère s'asseoir car, contrairement à Michel de Montaigne qui disait « Mes pensées dorment si je les assieds », lui, ses pensées peuvent dormir debout. Assis, il peut en revanche tenter d'y mettre un peu d'ordre. Il regarde ses centaines de reflets dans une des boules à facettes qui montent et descendent au-dessus du bar, comme les ascenseurs extérieurs du Sofitel. Sa vie de caméléon ressemble à ce puzzle démultiplié, embrouillamini sans queue ni tête. Y a-t-il un sens là-derrière ? Est-il même sensé de se poser la question ?

Il est né dans la banlieue ouest, il sera enterré au cimetière du Trocadéro : une vie pour traverser le nord du XVIe arrondissement. Entre-temps, il sera allé à des fêtes où, assis sur des tabourets, il se sera contemplé dans des boules à facettes. Marc pense facilement à la mort, à l'inutilité de nos faits et gestes, pas besoin de lui demander trois fois « pourquoi ? », il y songe sans arrêt : à quoi rime toute cette blague ? On fera moins les fiers quand on sera allongé dans un coffret de sapin verni, avec un lombric en train de twister dans l'orbite de l'œil gauche.

« Bah ! s'écrie-t-il en faisant claquer ses deux mains bien à plat sur ses genoux, on aura bien rigolé d'ici là !

— Vous parlez tout seul, maintenant ? »

L'attachée de presse le toise d'un sourire perfide. Elle est de retour. Le morceau de salade coincé entre ses dents de devant a disparu et Joss Dumoulin travaille. Il a beau être la star de cette soirée, il faut bien qu'il gagne sa croûte comme n'importe qui. Et là, il est coincé dans sa bulle translucide à hésiter entre des CD très à la mode. Marc serait bête de ne pas en profiter. Qu'auriez-vous fait à sa place ? Avant de clamser ? Hein ?

« Assied-toi là au lieu de te moquer de moi, dit-il en tapotant le tabouret mitoyen.

— Vous en faites une tronche.

— Oh, tu ne vas pas t'y mettre toi aussi, par pitié ! Bon, je traverse peut-être un passage à vide. Je ne peux pas être tout le temps beau et brillant et intéressant !

— Ni modeste... »

Elle sourit, persuadée d'avoir balancé une « pique » pleine d'esprit.

« Qu'est-ce que tu bois ?

120

— La même chose que vous. »

Marc s'adresse au barman :

« Deux Cata-Tonic bien glacés, s'il vous plaît. »

Un ange passe : normal, il est deux heures moins le quart. Marc observe chaque détail de cette jeune fille. Ses doigts fins, ses oreilles petites, ses lèvres vernies. Une fille, quoi. D'un ton très dégagé, il lui lance :

« Tu ne veux pas coucher avec moi ce soir ?

— Pardon ?

— Je suis désolé d'être direct mais il est tard et j'essaie de gagner du temps. Tu coucheras avec moi tout à l'heure comme avec Joss, oui ou merde, sale pute ?

— Merde, dit la jeune femme en versant son verre sur les cuisses de Marc, dans un geste lent, assez élégant, avant de se lever.

— Qui n'essaie rien n'a rien, marmonne Marc, de nouveau seul. Et de toute manière, ce costard était foutu. »

Autour de lui, la partouze des âmes kaléidosco-piques est en route. Marc sait bien qu'une soirée sans bastons, sans drogues, sans broute-minous ni cadavres ne mériterait pas qu'on s'y attarde. Il a connu le vertige des grandes nuits. Mais il sait aussi que là n'est pas la solution. Boire une bouteille d'armagnac par soir n'est pas une solu-tion. Refaire des barricades, brûler une 205 GTI devant le McDonald's de la rue Soufflot, bastonner des immigrés ne sont pas des solutions. Découper des femmes en morceaux pour les ranger au frigi-daire n'est pas une solution. Vomir du sang au réveil sur un couvre-lit de marque Souleiado n'est pas une solution.

Il n'y a pas de solution, il n'y a qu'une épaule pâle pour poser la tête et fermer les yeux, en croquant des noix de cajou, de préférence dans un grand bain chaud.

2 h 00
Entracte

« There I am
2 a.m.
What day is it ? »

Haïku de JACK KEROUAC.

Advient alors l'Extrême Bizarrerie de tout. Il est deux heures du matin, ou pas. Marc se sent très décaféiné. La distribution de pastilles de guarana, smart-drinks et autres placebos lénifiants n'y changera rien. Joss Dumoulin ne pense plus aux autres. Il mélange la *Messe pour le temps présent* avec le *Bourdonnement préparé à l'aide d'un rasoir électrique posé sur les cordes d'un piano* (deux compositions de Pierre Henry). Le DJ Suprême ne rentrera pas seul à son hôtel. Le portier sera sanglé dans un uniforme complice. Le lit sentira le linge trop propre. L'attachée de presse (toujours elle) se pliera à ses quatre volontés avec beaucoup de conscience professionnelle. Un porno sera diffusé sur le câble. Le Master of Ceremony aura lancé un club ce soir et c'était vraiment très réussi, bravo, je t'ai vu dans *l'Œil* du mois dernier, tu avais bonne mine, appelle-moi en semaine, je suis sur liste rouge. C'est bien, Marc, de rester aussi stoïque avec cette douleur, ta quête impossible.

Ondine rigole avec ses copines au bar et Ari leur jette :

« Vite ! Ils sont tous dehors, Jean-Georges et les autres ! »

Marc les suit dans le froid. Trente débris, épaves, ordures déchargés nuitamment sur la place de la Madeleine. On appelle cela : une pollution nocturne.

Devant l'entrée de la boîte, Jean-Georges et une dizaine d'acolytes anonymes chantent « Touchez la chatte à la voisine » debout sur les rutilantes voitures de sport. Tant pis pour le propriétaire de la Porsche cabriolet dont la toile n'a pas résisté aux talons aiguilles.

Jean-Georges crie « à l'attaque », pour voir. Les personnes présentes le prennent au mot. Le saccage qui suit relève donc de sa responsabilité. Les vandales en costume croisé ne font pas de quartier. Les vitrines de Ralph Lauren et Madelios sont explosées et dévalisées. Leurs sirènes d'alarme accentuent l'encanaillement du pillage. Les chemises emballées sous plastique font d'étonnants frisbees. La collection de cravates à pois de Marc s'enrichit de quelques pièces à imbattable rapport qualité-prix. Jean-Georges confond une boîte de boutons de manchettes en plaqué or avec une poignée de cotillons. Des velléités insurrectionnelles les saisissent même aux abords du faubourg Saint-Honoré, mais, personne n'ayant rédigé de programme politique de rechange, ils bifurquent au dernier moment. Il est nettement plus constructif de déclencher à grands coups de pieds les alarmes antivol de toutes les limousines de la rue.

L'un des voyous snobs parvient à pisser dans la boîte aux lettres qui se trouve devant chez Lucas Carton. Voilà un acte vraiment « anar », et en plus acrobatique. Marc se figure la tête des jeunes filles éperdues qui recevront demain des lettres d'amour parfumées à l'urine, les receveurs des impôts aux chèques jaunis, les cartes postales pisseuses... Uriner dans une boîte aux lettres est peut-être un des derniers actes vraiment révolutionnaires qu'il leur reste. « Vive le hooliganisme épistolaire ! »

Au fond, il n'existe aucune différence entre un banlieusard de Neuilly-sur-Seine et un banlieusard de Vaulx-en-Velin, sinon que le premier aime bien le second.

Maintenant Jean-Georges et son fan-club escaladent l'échafaudage de l'église de la Madeleine en cours de ravalement. Un écriteau indique : « LA VILLE DE PARIS RESTAURE SON PATRIMOINE HISTORIQUE. » Marc trouve que ça manque de cariatides à peloter. Mais l'important est que la structure tubulaire tienne le coup. C'est fou l'agilité que vous confèrent quelques degrés d'alcool dans le sang. En sept secondes, ils se hissent sur le toit de cette espèce de sous-temple grec napoléonien. Ils décident de pique-niquer, c'est-à-dire de manger la bière à même les boîtes.

La vue ne manque pas de féerie. Paris est une maquette éteinte, à échelle 1/100e. Si Gulliver s'amenait (ou King Kong, ou Godzilla), il écrabouillerait ces immeubles comme une pièce montée en sucre filé. Jean-Georges se tient debout au bord du vide, face au Palais-Bourbon.

« Regardez ! Droit devant, c'est le sud : l'Afrique. À ma gauche, les Russes ; à ma droite les Amerloques.

Les premiers crèvent de faim, les seconds d'envie et les troisièmes d'indigestion. Il y a un sous-marin nucléaire au bord de l'explosion atomique dans chaque port de l'ex-URSS. La Mafia dirige les États-Unis d'Amérique depuis qu'elle a tué John Kennedy. Le monde entier souffre, on n'a toujours pas trouvé de vaccin contre ce putain de sida et nous qu'est-ce qu'on fout ? On pense qu'à déconner. Bande d'enculés je vous hais ! En plus cette bière est chaude, merde ! »

Il laisse tomber sa canette qui brise le pare-brise d'une Rolls-Royce en panne attelée à une 2CV traversant la place à ce moment-là. Matthieu Cocteau, pris d'un fou rire incontrôlable, vomit quasi instantanément sur les passants, avec des borborygmes stridents, assez déplaisants à entendre.

Jean-Georges a la tête perverse d'un type qui aurait longtemps pratiqué l'onanisme en lisant le Dictionnaire médical. Il poursuit sa diatribe :

« Non mais regardez-vous, bordel ! Une bande de fils de putes inutiles, voilà ce que vous êtes ! Vous servez à rien ! Vous puez, c'est tout ! Tiens, elle, là, par exemple... »

Il pointe du doigt la baronne Truffaldine.

« T'as pas de glace chez toi, gueule de raie ? Qu'est-ce tu viens nous imposer ton spectacle octogénaire ? Espèce de vieille moule desséchée, à ton âge tu ne saignes plus que du nez !

— Oh la ferme, je peux encore te chier dessus mais t'en redemanderais, pauvre pédale impuis-sante ! Va te faire inoculer ! Syndrome immuno-déficient à toi tout seul ! Larve astiquée ! Sac à sperme! Raclure de lèpre! Plaie ambulante! Je vais t'envoyer ma diarrhée comme shampooing! »

Il n'y a plus de vieillesse. Tant mieux : le déluge de la virago calme Jean-Georges. Ari enchaîne :

« Les mecs, est-ce que vous réalisez où on est ? On est sur LE TOIT DU MONDE ! Tout est possible ici ! Il n'y a qu'à dire qui vous voulez être ! »

Les désirs fusent.

« Moi, je voudrais être le grain de beauté de Cindy Crawford.

— Moi, le balconnet de Claudia Schiffer.

— Euh, je peux être la culotte de Christy Turlington ?

— La cerise de Sherilyn Fenn !

— Et moi je vous emmerde car je SUIS le stérilet de Kylie Minogue, le Tampax de Vanessa Paradis, les hémorroïdes de Line Renaud, la bite d'Amanda Lear ! Je SUIS le ver de terre qui bouffe en ce moment les entrailles de Marlène Dietrich !! »

On aura reconnu le style jean-georgien de base.

L'air glacé relève le col des vestes. Leur aigreur stomacale va attraper froid. Au milieu de Paris, une bande de jeunes têtes à claques gèle sur le toit d'un monument historique. Il y a des filles, des garçons et les autres, ceux qui n'arrivent pas encore à se décider. Personne n'est assez fatigué pour en rester là. Ari sort un énorme morceau de shit huileux et il faut malheureusement restituer ici la contrepèterie de Jean-Georges :

« La nuit tous les shits sont gras. »

Un peu à l'écart du groupe, Fab continue sa cour à Irène.

« J'ai le feeling hyper gonzo-résurrectionnel dans cette aire de motion. Tu mates l'univers en spirale ?

— You know Fab, it's cold hère, je le glace, brrr, completely freezing. »

Il n'est pas impossible qu'ils soient amoureux. Plusieurs conditions paraissent réunies : premièrement, elle détourne les yeux quand il la dévisage ; deuxièmement, il est assis avec les pieds en dedans.

« Enfile ma seconde peau quelques nanosecondes, baby doll surgelée. »

Fab tend son imperméable transparent en plastique léopard à Irène. Tous ces mecs passent leur vie à se moquer de la tendresse, mais dès que l'un d'entre eux devient romantique, il succombe à tous les clichés les plus fleur bleue. Marc a envie de pleurer sous son masque poupard. Il a beau chercher à s'évader de cette soirée : ici, loin de l'agitation des Chiottes, il ne s'est jamais senti aussi prisonnier. Ari lui fait de grands signes.

« Viens, le teuch en est à son troisième tour de piste !

— Merci non, je ne fume pas, ça me donne des quintes de toux.

— Eh bin manges-en un morceau alors ! »

Il lui montre son caillou marron. Marc en a marre de tout refuser. Il l'avale d'un coup, et grimace aussitôt :

« Je ne sais pas si vous avez déjà goûté ce machin-là, mais on comprend vite pourquoi ça s'appelle "shit". »

130

Marc est assis en tailleur. Dans la boîte de nuit, il n'avait pas le temps d'être triste. Sur ces hauteurs qui dédaignent la ville, la mélancolie se fraye un chemin. Marc regrette sans cesse l'absence de ceux qui ne sont pas là. Ils lui manquent toujours, comme lui manquent tous les événements qui ne lui arriveront pas ou les œuvres que personne ne se résout à rédiger. Les étoiles doivent sûrement briller derrière tous ces nuages. Un vent glacé va se lever, et repartir. Le ciel ressemble à la mer. En retournant sa tête vers le bas, Marc a l'impression qu'il pourrait plonger en apnée dans le firmament.

Jean-Georges entame un discours-fleuve, juché sur une planche de bois à trente mètres du sol. Dans une excursion similaire, sur les toits glissants du Cercle Interallié, un de leurs camarades a trouvé la mort au bas des cinq étages. Marc n'a jamais oublié ses derniers mots : « Tout est plus que parfait. » Il a dit ça juste avant de chuter à minuit pile. (Minuit et cinq secondes, pour être exact, quand son corps s'est éparpillé au rez-de-chaussée.)

« Mes chers amis, crie Jean-Georges, la fin du monde est proche. Il n'y a aucune différence entre Patrick et Robert Sabatier. Aucune différence entre les yachtmen et les boat-people. Quant à la jet-society, elle a toujours été sans domicile fixe. La société de consommation se meurt. La société de communication aussi. Seule demeure la société de masturbation ! Aujourd'hui le monde entier se branle ! C'est le nouvel opium du peuple ! Onanistes de tous les pays, unissez-vous ! On n'est jamais mieux servi que par soi-même ! »

L'hilarité de Marc sera pardonnée : le truc d'Ari se dilue dans son sang petit à petit. Jean-Georges se contente de sniffer le goulot d'une flasque de bourbon vide.

« Bienvenue dans le monde merveilleux de la Masturbation finale ! Les sociologues appellent ça l'individualisme, moi je dis : branlette internationale !

— Mais il y a rien de mal à ça…, objecte Mike Chopin, un pignoleur mondain au chômage.

— Ah ! Un contradicteur précoce ! Il pense que la société de masturbation a de longs jours devant elle ! Détrompez-vous mes chéris. Elle vous tuera tous. Quand se branler devient un idéal, c'est que le monde court à sa perte. Car la masturbation, c'est le contraire de la vie. C'est une petite jouissance fugace, une éjaculation triste, un abandon débandant. La masturbation ne donne rien à personne, surtout pas à celui qui jouit. Elle nous tue tous à petit feu. Non, mesdames-messieurs, désolé : LA FIN DU MONDE SERA UN ORGASME MOU. Merci de votre attention. »

En s'asseyant, Jean-Georges aspire tout de même une grosse bouffée de pétard. Son délire convaincrait presque Marc, mais il ne craint rien. De toute façon, il porte toujours son passeport sur lui, pour être prêt à partir n'importe où. C'est sûrement pour ça qu'il ne va nulle part. Le voilà qui se lève à son tour pour prendre la parole :

« Ah, si seulement quelqu'un pouvait reconstruire le mur de Berlin… Nous nous sentirions bien mieux, à l'abri de nos ennemis d'antan. Mais c'est fini ! »

Il mouille son doigt pour sentir la direction du vent, puis le remet dans sa poche.

« Il ne nous reste plus rien, plus d'idées, plus qu'un désert dans lequel nous errons sans rien comprendre. Passons en revue tout ce qu'on nous propose… L'écologie ? »

Un murmure de dégoût parcourt le groupe. Marc continue :

« Sinistre, l'écologie. La nature a horreur du vide et c'est pourquoi nous avons horreur de la nature. Œil pour œil, dent pour dent… La religion ? »

Jean-Georges réprime un bâillement. Marc sent une force inconnue s'emparer de lui :

« Chacun croit à ce qu'il lui plaît de croire, mais avouez que l'islam donne le mauvais exemple : une religion qui planque les femmes et assassine les écrivains s'édifie sur de mauvaises bases. Quant au pape, n'en parlons pas, pour ne pas faire de peine à nos grands-parents. Vous savez, le pape, c'est ce type en blanc qui dit aux noirs de ne pas utiliser de préservatifs, en pleine épidémie mortelle… Voyons, qu'y a-t-il d'autre comme idéologies en ce moment ? Ah, oui : le libéralisme social. À moins que vous ne préfériez le socialisme libéral ? »

Un copain d'Ari, chargé des fusions et acquisitions au Crédit Suisse First Boston, résume les réactions d'une phrase :

« Le jour où ça va dropper, on va tous jumper.

— Je ne vous le fais pas dire, reprend Marc. C'est le règne du fric, du chômage, du rien… Alors, quoi ? Sur QUELLE idéologie allons-nous bâtir le prochain siècle ? Parce que, attention les gars, si vous ne répondez pas à cette question, c'est les nacos qui arriveront, et eux ne rigolent pas !

— Les narcos? s'inquiète Ari en toussant la fumée de son joint.

— Non, les NACOS, les national-communistes : les fachos d'extrême gauche, les marxistes d'extrême droite, tout ce beau monde. Si nous ne leur tenons pas tête, ils sont au pouvoir avant la fin de cette décennie. »

Chacun son tour, exalté par le vent des cimes et la fumée de cannabis, suggère une idéologie de secours :

« Que diriez-vous de l'atravaillisme? Une société où il n'y aurait que des chômeurs, donc plus de jaloux.

— Mon système est bien meilleur : la société de non-consommation, où plus personne n'achèterait de produits dans les magasins. Il n'y aurait plus que du recyclage.

— J'ai beaucoup mieux : le total-redistributisme. On crée un RMI pour tout le monde, payé par la TVA de tout le monde. On pourrait aussi appeler ça le collectivisme capitaliste.

— Et l'anarcho-ploutocratie, qu'en pensez-vous? Un monde dans lequel il n'y aura plus de Sécurité sociale, plus d'impôts, plus d'interdictions de fumer, où la drogue sera légale, et où seule la propriété privée sera protégée par une armée de vigiles... »

Marc contemple son œuvre avec compassion. Ces États Généraux sont dans un sale état général. Il conclut :

« Pas du tout. Vous n'y êtes pas du tout. L'avenir, c'est le Parisianisme. »

Ari et Jean-Georges sont interloqués. Marc ne se laisse pas démonter.

134

« Oui, le Parisianisme, qui n'a rien à voir avec le sens qu'on prête généralement à ce mot (mondanités parisiennes, élitisme des beaux quartiers, etc.). Le Parisianisme, c'est la lutte pour l'indépendance de la ville de Paris. Faisons comme les Corses, les Basques ou les Irlandais, les seuls peuples respectables d'Europe ! Créons notre OLP, l'Organisation de Libération de Paris, et fomentons des attentats contre la République Française scélérate qui veut nous obliger à partager le même pays que les Bretons, les Berrichons ou les Alsaciens. Allons-nous laisser la plus belle ville du monde ouverte à n'importe quel provincial ? Vive Paris, à bas la France ! Êtes-vous prêts à mourir pour cette ville ? »

En chœur, les quelques partisans hurlent leur approbation éternelle. Marc invente même des slogans, dont le plus mnémotechnique est : « In-dé-pen-dance ! Paris-n'est-pas-en-France ! » Repris à l'unisson deux cents fois, il finit par devenir crédible.

Une demi-heure après, les révolutions sont reportées. Des antennes de télévision découpent les nuages d'encre. Vu de loin, le toit de la Madeleine rappelle les Aristochats de Walt Disney. Ce petit groupe somnolent pourrait être un aréopage de chats de gouttière, en cravate noire et robe courte. Ils ne ronronnent pas. Tout juste un petit miaulement par-ci par-là, et encore. Pas de quoi les fouetter.

Fab est allongé sur le dos. Il fixe le ciel couvert.

« Le 24 février 1987, l'étoile Sanduleak 69-202 a explosé du côté du Grand Nuage de Magellan, à 180 000 années-lumière de la Terre. Si cette Supernova avait explosé un peu plus près, mettons à 10 années-lumière, la Terre disparaissait instantanément[*]. Tout était brûlé, la faune, la flore, l'intégralité de toute vie. Le 24 février 1987 aurait pu être le dernier jour de cette planète. Que faisiez-vous le 24 février 1987 ? »

Silence.

« Il ne resterait rien de ces petits animaux sur une petite sphère volatilisée : l'humanité, dit Ari avec une pointe d'ironie.

— Ah si ça arrivait, soupire Marc, ils feraient moins les malins, Marcel Proust, James Joyce, Louis-Ferdinand Céline… Effacés à jamais ! »

Quelque chose semble les souder ensemble. Autrefois ils étaient seuls à plusieurs, et maintenant ils forment une vraie équipe. L'angoisse n'est pas un jeu à somme nulle. Chacun d'entre eux semble attendre que son voisin dise une chose triste et poétique ; c'est le genre de moment rare où le temps est suspendu, où l'on peut se sentir malheureux et garder néanmoins son calme. Ce n'est pas tous les jours qu'on survit à la fin du monde.

Place de la Madeleine, la rue Royale devient la rue Tronchet et Fauchon fait face à Hédiard. À quelques mètres de là, François Mitterrand préside la France depuis plus d'une décennie. Il ne se passe plus grand-chose à une heure pareille. Une vague escouade de policiers inspecte leurs dégâts dans les boutiques du coin. Bredouilles, ils verbalisent de dépit quelques dames trop fardées

* Authentique. (*N.d.A.*, qui y tient.)

dont les voitures en double file abritent des pères
de famille du Vésinet. Puis les carabiniers dispa-
raissent dans un concert de gyrophares.

« Regarde, dit Jean-Georges, Blondin n'est pas
mort ! »

En effet, au milieu de la chaussée, deux ou trois
viveurs prennent leurs vestons pour des muletas
et défient les bolides qui s'engouffrent dans le
boulevard.

En redescendant du toit, Ondine casse le talon
de sa chaussure. Plus tard, ils pourront dire à leurs
enfants qu'ils ont eu une jeunesse tourmentée.

3 h 00

« Dans la nuit noire de l'âme, il est toujours trois heures du matin. »

FRANCIS SCOTT FITZGERALD,
Correspondance.

« La chasse d'eau ! La chasse d'eau ! »

De retour dans la boîte, le petit groupe se met à revendiquer. Ils savent que ces Chiottes disposent d'un système de nettoyage en proportion de leur gigantisme. Le moment leur semble idéal pour que Joss Dumoulin le fasse fonctionner. Maintenant qu'ils ont respiré un peu d'air frais dehors, il devient urgent de les étouffer.

« La chasse d'eau ! On veut LA CHASSE D'EAU ! »

Joss les examine en souriant avec paternalisme, comme le bourreau devant le condamné à mort qui réclame sa dernière cigarette. Il hausse les épaules, puis tire sur une manette.

Et les prières sont exaucées.

D'un coup les fous furieux sont projetés sur le carrelage de la cuvette. On entend une tempête roter. Tout le monde est immédiatement trempé jusqu'au cou dans l'eau mousseuse qui jaillit des toboggans comme un magma spectral. Ils baignent dans l'allégresse panique.

C'est donc ça, la solution festive : une apocalypse turbide, une dernière transe, une saine noyade. Marc signe son testament de fêtard. Il nage dans le carnage. Du blob dans les bleeps. Du Slime sur Smiley. Amer acid. Le bal est démasqué.

La marée haute l'inspire. Englouti dans deux mètres de mousse savonneuse, il cherche de l'air et des à-peu-près, tout en piétinant quelques naïades frigides. Il ignore la sortie de ce soap-opera balnéaire. Trois cents silhouettes floues d'extase ne s'enjambent pas si aisément. Marc Marronnier n'est pas Esther Williams. Il flue dans le maelström avec maestria.

Alors Marc se laisse porter, couler, et le flux et le reflux bercent son fou rire, comme dans un long orgasme, un collapsus enchanté, une Interruption Volontaire de Gravité. Enfin voit-il les couleurs invisibles de l'apesanteur. Il lui semble même entendre le « Dies Irae », son chant des sirènes, pendant sa traversée du Styx. Sa langue en croise d'autres et des tétons frôlent sa paume. Le shit avalé commence à faire son effet.

Quel jour est-il ? Et dans quelle ville ?

Il lui faudrait un chewing-gum pour arrêter de grincer des dents. Tout compte fait, son prochain livre s'intitulera « Psittacisme et Priapisme » et il n'en vendra que cinq. Il plaide coupable de tout. Les dix prochains albums de Prince sont déjà enregistrés mais ne sortent toujours pas. Les taux d'intérêt à court terme finiront bien par baisser. Si l'on boit cinq Bailey's puis un verre de Schweppes, on a l'estomac qui explose. Marc peut fermer les yeux deux petites secondes, qui l'en empêchera ?

« Je suis un pacemaker en panne. Je suis une comète, lunatique, trépanée. Je suis cloaque cliquetis cachexie ataxie ataraxie boom boom ah.

L'électricité fluide réveille les hétaïres et incite aux mésalliances saka saka boom ah ah ah.

Then then cockney très hydraulique sur râle délectable de droite à gauche. Pam pam siki siki pam pam.

Dans le hammam fonkadafonk hip hip des lacs d'épuration de biberons de griserie coulent tout au fond métastases et gélatines cramées au vitriol dionysiaque boom tchak saka tchak.

Ici, nuages soniques déjà et femelles arachnéennes aux doudounes rebondies marécageuses pam poum titididi poum pam poum.

L'existence précède le piercing tougoudou plam.

Sommeil de plomb fondu en intraveineuse saka saka zzzim.

Le whisky te scotchera au plafond pon pon da pon pon.

Le train fantôme dès que tu closes paupières trou noir précipice abyssal niagara mental éclipse totale padam padam hi ha ya.

Le basculement est artériel le plongeon est neuro-nal le penthotal est amniotique pidim pidim padam pump et wazzam.

Décollement de la rétine et du papier peint plom ssaw plom plom sssaw.

Je suis platine interactive table de mixage saturée fusible disjoncté fonfonfonffon.

Hibernation je me cryogénise dès que je rentre à la maison je m'enferme dans le congélateur c'est décidé je serai le premier Findus humain.

La source de tous mes ennuis : Je n'est pas un Autre. Je n'est pas un Autre. Je n'est pas un Autre. Je n'est pas un Autre.

Dance Dance Dance or Die. »

Lorsqu'il se réveille, Marc est allongé sur la plus jolie fille du monde. Ils ont dormi contre un haut-parleur, bercés par les décibels. À côté d'eux, une drag-queen gueule : « Eat my cunt ! » mais seules ses hormones sont défoncées.

« On s'amuse bien, non ? dit Marc.

— Il est regrettable que le coma éthylique ne soit pas remboursé par la Sécurité sociale, répond la fille qui lui sert de matelas.

— J'ai pioncé longtemps ? »

La fille dit sûrement quelque chose mais Marc ne saisit pas tout car :

1) Il a de l'eau dans les oreilles

2) Joss monte le son
3) Peut-être la fille ne lui a-t-elle pas répondu.

Sur la piste de danse, l'eau a baissé de niveau. On évacue les cadavres des noyés. Les rescapés organisent un concours de cocktails au savon. La fête n'est pas encore terminée.

Fab dégouline :

« Éléphantesque party! Le deejay stabilise le dance-hall! Dimension éternité! Sirènes techno-déliques!

— Oui, Fab, s'écrie Ari Wiz, il me semble que c'est une soirée à base d'abus.

— ABAZDABU? Yo, c'est ça, man! Total ABU DHABI! »

On compte les survivants. Loulou Zibeline gît, évanouie, engluée dans un amas humain parmi lequel on peut distinguer le couturier Jean-Charles de Castelbajac torse nu, les frères Baer en cours d'inceste, le bébé des Hardissons et Guillaume Rappeneau torse nu du bas. Le groupe Nique Ta Lope a recommencé son bruit devant cette grappe dépenaillée. Joss Dumoulin rôde. Le matelas féminin de Marc se laisse embrasser là et lllà. Il respire par la bouche et intermittence. Il a de plus en plus mal au ventre : début d'ulcère duodénal ou signes avant-coureurs de la dépression nerveuse trentenaire?

Cette fille, Marc a l'impression de la connaître. Il l'a déjà vue quelque part. Il l'a au bout de la langue (au propre comme au figuré). Elle est si douce, si reposante... Si *logique*, si *évidente*... Rien n'est plus beau que de se réveiller sur une femme qui a enroulé un lacet autour de son cou minuscule, à moins qu'il ne s'agisse d'un ruban moiré... Marc pensait chercher une nympho-mane, en réalité il attendait une jeune demoiselle douce, fine, tranquille, une apparition sereine, un amour heureux... Cette femme est son médica-ment... Elle tient sa tête trempée entre ses mains et passe ses doigts dans ses cheveux... Peut-être bien qu'ils ont fait l'amour dans l'eau tout à l'heure, qui sait?... Dans la cohue, ce n'est pas du tout impossible... Quel beau cadeau... Marc sent son cœur battre derrière ses seins... Oui, c'est elle, c'est bien elle qu'il cherchait... Il referme les yeux doucement parce que *quelque chose* lui dit qu'elle ne va pas s'en aller.

Robert de Dax, le playboy hébété, tient Solange Justerini par la taille. Ils sont restés à l'écart de la piscine musicale. Robert de Dax sourit trop. Les gens qui sourient trop cachent un secret : un mort sur la conscience, une banqueroute, des implants ? Après leur avoir tourné autour pendant un certain temps, ils finissent par s'approcher de Marc et de son amie. Pas besoin d'être Yaguel Didier pour imaginer que la suite sera agitée. Leurs regards s'emplafonnent. C'est Robert qui engage la conversation.

« Tiens ? Voici ton ex-petit copain. Alors, il fait une pause ?

— Solange, ôte ton mec de mon soleil, tu veux ? » s'écrie Marc.

146

Le rouge à lèvres de Solange est un peu trop étalé pour être honnête. Et Robert s'avère l'un des mecs les plus nerveux que Marc connaisse. La dernière fois qu'il a vu ses yeux aussi rouges, c'était au Harry's Bar. Depuis, on a reconstruit le Harry's Bar.

« Marc, je te présente Robert, dit Solange. Robert, Marc. »

Chaleur et poussière. Le type a l'air complètement bourré. Il fusille Marc du regard :

« Peux-tu me répéter ce que tu as dit à Solange, s'il te plaît ? Il paraît que tu as été incorrect à son égard.

— Écoutez les enfants, vous êtes très mignons, dit Marc. Laissez-nous juste un peu en paix. Comment aurais-je pu être incorrect envers quelqu'un qui n'existe pas ?

— T'as un problème, l'autiste ? T'es pressé que je te massacre l'existence ? T'as envie d'embrasser les tabourets ? Je savais pas que les sangsues étaient suicidaires ! »

Marc ne peut pas faire autrement. Il pèse le pour et le contre, puis vise les couilles. Espérons pour lui qu'il n'avait vraiment pas le choix. Errare humanum est. Après, cela va très vite :

Robert le factotum intercepte simplement le pied de Marc, et le tord. La cheville craque. Puis il lui envoie un violent coup de tête et on entend le fameux bruit du nez-cassé-le-soir-au-fond-des-bars. On l'entend même plusieurs fois. Robert tient toujours ce pauvre Marc par le pied, son autre main lui tenant les cheveux, et ne s'arrête pas de lui sculpter la face sur le coin d'une table.

L'autre essaie désespérément de se dégager. Son visage est couvert de sang, l'arcade ouverte, le nez fendu jusqu'à l'os, et Robert continue de le taper, dix fois, vingt fois, et à chaque choc Marc voit des éclairs.

Heureusement, des copains à lui arrivent en renfort. Franck Maubert tire un penalty dans les testicules du pauvre Robert. Matthieu Cocteau lui arrache une oreille avec les dents. Édouard Baer lui casse une rangée d'incisives avec la nouvelle chaise dessinée par Starck TM. Guillaume Rappeneau les encourage en criant : « Pas de pitié pour les middleclass ! » puis saute sur ses côtes à pieds joints. Quand Robert l'a lâché, Marc s'est écroulé en silence. Ses fesses ont fait « flotch » par terre. Il suffoquait de douleur, pendant que l'autre était traîné à l'hôpital.

Marc rouvre les yeux. Ouf ! Il se réveille une nouvelle fois dans les bras de la jolie fille, et décide de ne plus se rendormir, car la réalité est infiniment plus belle que les rêves, surtout quand on a trop bu.

Marc respire profondément, avale une grande gorgée d'eau, repose le verre que la fille lui tend, rote discrètement, défait sa cravate, regarde l'avenir avec confiance.

« Nous sommes un jeune couple dynamique, dit-il.

— Tu es un jeune homme aérodynamique, répond-elle en allusion à son célèbre double nez (le menton en galoche de Marc ressemble à un deuxième nez sous sa bouche, c'est ainsi, personne n'y peut rien).

« — Embrasse-moi entre les deux nez », réclame-t-il.

Dont acte.

Ils décident de se lever pour rejoindre un endroit sec. Par exemple, une banquette recouverte de serpentins. Elle le questionne sur tous les gens.

« C'est qui lui ?

— Il dirige une compagnie d'assurances.

— Et lui, il fait quoi dans la vie ?

— Présentateur de journal télévisé.

— Et l'autre, là-bas, tout seul dans son coin ?

— Celui-là ? Il est sentimental. »

Des serveurs gourmés bien que trempés distribuent de la soupe à l'oignon aux invités grelottants. Elle lui frotte le dos avec une serviette de bain.

« Bah, considérons ceci comme mon lavage hebdomadaire, dit Marc.

— En tout cas, ce costume est à jeter à la poubelle. »

Sa veste est roulée en boule sur la moleskine. Serpillière insalubre.

« Du passé faisons table basse », déclare-t-il d'un ton péremptoire.

La fille reste assise à ses côtés, malgré cette réplique. Mario Testino les prend en photo. Marc se tourne vers elle :

« Un jour, nous punaiserons ces clichés au-dessus de notre lit. »

Avec sa cravate tire-bouchonnée, en bras de chemise et le crâne enroulé dans la serviette de bain, il ressemble à une paysanne ukrainienne au lavoir. La fille rigole et il grimace.

« Je sens que je vais aimer cette photo toute ma vie », dit-il sans la quitter des yeux.

Elle ne détourne pas son regard.

Marc se sent happé par elle. D'habitude, quand il est seul, il aime que tout soit triste (quand il est avec des gens, il aime que tout soit drôle). Mais là, tout lui est égal. Il l'embrasse dans le cou, sur les paupières et les gencives. Elle lui envoie des flots de tendresse par les yeux. Elle ne semble pas impressionnée. Marc, si. Par sa solidité, son sourire libre, ses genoux délicats, sa peau de porcelaine, son visage clair, rempli d'yeux bleus et ce n'est même pas une faute d'orthographe : ses yeux sont vraiment bleus, avec un « x », comme dans « onyx », car elle a des yeux d'onyx, et de lapis-lazuli aussi.

« Joss Dumoulin est en forme, non ? lui demande-t-elle.

— Moui.

— Il est plutôt beau garçon…

— Hein ? Ce nain ?

— On est jaloux ?

— Je ne serai jamais jaloux d'un gnome. »

Évidemment qu'il est jaloux. Joss l'énerve.

« Bon d'accord, je suis jaloux. Dans la vie, il faut être jaloux. Dis-moi qui tu jalouses et je te dirai qui tu es. La jalousie gouverne le monde. Sans elle, il n'y aurait ni amour, ni argent, ni société. Personne ne lèverait le petit doigt. Les jaloux sont le sel de la terre.

150

— Bravo !

— Sais-tu pourquoi je t'aime ? bafouille-t-il entre deux baisers, je t'aime parce que je ne te connais pas. »

Puis il ajoute :

« Et même si je te connaissais, je t'aimerais vraisemblablement.

— Chhhut. Tais-toi. »

Elle a posé son index sur les lèvres de Marc, doucement, pour que rien ne trouble plus cette rencontre tellurique entre deux êtres. Et Marc comprend qu'on lui a menti. On lui a toujours fait croire qu'on ne sentait passer que le malheur, jamais le bonheur. Que le bonheur n'était palpable qu'après coup, une fois disparu. Et voilà qu'il se sent heureux, sur le moment, pas dix ans après, mais à l'instant même. Il voit le bonheur, il le touche, il l'embrasse et lui caresse les cheveux et en mange chaque minute. On l'a mené en bateau avec cette histoire. Le bonheur existe, il le rencontre.

Il hèle un serveur et demande à la fille :

« Mademoiselle, est-ce que je peux vous offrir une limonade ?

— Avec plaisir.

— Deux, s'il vous plaît. »

Le serveur disparaît. La fille semble un peu étonnée :

« Tu peux me tutoyer, tu sais, et je te rappelle que je me prénomme Anne. »

Ainsi Marc la connaissait déjà. Ses impressions de déjà vu se confirment. Et ses sentiments aussi. Anne a quelque chose de plus que les autres femmes de la soirée. Elle est différente, elle surnage. À quoi cela tient-il? À rien, à quelques détails impalpables : un surcroît d'innocence et de pureté, très peu de maquillage, une roseur aux pommettes. Sa candeur gracile et ses salières répondent aux angoisses de Marc. Il a envie de la protéger, alors que c'est déjà elle qui le protège depuis vingt minutes.

« J'ai inventé un théorème. J'aimerais le tester sur toi. D'accord?

— En quoi cela consiste-t-il?

— Eh bien tu me dis n'importe quoi, et moi je te demande trois fois "pourquoi?".

— Bon. J'ai faim. Je mangerais bien un croissant.

— Pourquoi?

— Pour le tremper dans une tasse de thé.

— Pourquoi?

— Parce que.

— Parce que quoi?

— Parce que rien. Il n'est pas très rigolo, ton jeu. » Marc a perdu. Anne ne parlera pas de la mort. Elle est beaucoup trop belle pour mourir. Ce genre de filles ne sert qu'à vivre, à vivre et à aimer de toutes ses forces. Enfin, « ce genre de filles », c'est une image, car il n'en a jamais rencontré une pareille. Marc a tendance à généraliser trop vite. Il tente de rationaliser ce qui est en train de lui arriver, alors qu'il est déjà trop tard : il y a une bonne heure qu'il a sombré dans l'irrationnel, dans le déraisonnable, dans l'anticartésien, bref, une bonne heure qu'il est amoureux fou, pieds et poings liés, éperdu et perdu, comme dans ses poèmes.

Il a failli se noyer ; par miracle il s'est accroché à une bouée ; il a cru qu'il était sauvé ; voilà qu'il se noie quand même. Il en pleurerait presque de joie dans ses bras maternels. Oui, il existe à Paris une fille lacrymogène et il a fallu qu'elle tombe sur lui.

4 h 00

« James Ellroy, y a-t-il une chose qui vous déplaise par-dessus tout ?
— Ouais.
— Ouais, quoi ?
— Ouais, la mort. »

Entretien avec BERNARD GENIÈS
dans *Lui* d'octobre 1990.

Il admire Anne qui boit une Love Bomb et les larmes lui montent aux yeux en pensant au bel alcool qui coule paisiblement dans son joli œsophage, le long de son mignon tube digestif, jusqu'à son ravissant estomac. Rien au monde n'existe de plus fragile et attendrissant que cette femme pompette, à la démarche hésitante, aux yeux frits, à la voix qui déraille...

« Tu as l'alcool joli, dit Marc.

— C'est ça, moque-toi. »

Elle retire coquettement ses longs gants sous la lumière. Elle ouvre avec agilité l'étui d'argent. Elle tapote sa cigarette sur le couvercle. Et la flamme fait grésiller le tabac. Et les volutes mentholées noient son visage.

« Pourquoi tu fumes, espèce d'athéromateuse ?

— Pourquoi tu te ronges les ongles, pauvre ony-chophage ?

— OK, j'ai rien dit. Mais je t'interdis de mourir avant moi.

— Je refuse de vieillir vieille. »

Quelques Vénus hottentotes s'agitent sur une estrade; l'une d'elles secoue trois seins – seul celui du milieu n'est pas percé. Sur le mur sont projetés des mots aux consonances subliminales :

Cyberporn
Épiphanie
Lucid Dreaming
Napalm Death
Rose Poussière
Datura
Moonflower
Negativland
Mona Lisa Overground Highway
Babylone
Gog et Magog
Walhalla
Falbalas
...

Marc ne parvient pas à tout noter à cause de la buée sur ses lunettes. Tout semble lubrique et bégueule à la fois. On se croirait dans un genre de bordel chaste, un couvent porno. Depuis le sida, tout est devenu incroyablement sexe mais jamais on n'a moins baisé. Une génération d'eunuques exhibitionnistes et de nonnes aphrodisiaques.

Il règne une chaleur moite, comme à l'intérieur d'une cocotte minute. Les glaçons rapetissent à vue d'œil dans les verres. Même les murs mouillent, dans pareille étuve. Jean-Georges rampe vers Anne et Marc, qui ne cessent de s'embrasser, allongés l'un sur l'autre, soûls de joie. Il arbore le visage arrogant et bouffi que fabrique l'excès de champagne tiède et d'espoirs refroidis. Son frac traîne par terre, imbibé et boueux. On ne peut pas s'empêcher de l'aimer, ce con.

« Qu'ils sont mignons, ces deux-là! Pourquoi ne suis-je pas capable de trouver l'âme sœur, moi aussi?

— Peut-être parce que les femmes à barbe sadomasochistes se raréfient, ces derniers temps? suggère Marc.

— Voui, tu as raison. Je suis sans doute trop exigeant et puis j'ai trop de mauvaises habitudes : je dors trop peu, je bande trop mou, je jouis trop vite... Ce n'est pas l'idéal. »

La glace pilée donne à son verre de Lobotomie une consistance de milk-shake. Une grosse veine palpite sur son front. Comme la grande majorité des amis de Marc, Jean-Georges chôme avec professionnalisme. Il tire son argent de deux endroits très courus : le mont-de-piété et le casino d'Enghien. Marc tente de le consoler :

« Écoute, les mecs qui assurent à tous les coups déplaisent forcément aux femmes intelligentes. Car où est l'enjeu? Bander une fois sur deux, voilà quelque chose d'excitant pour elles. Le sexe, c'est le suspense.

— Je suis bien d'accord, c'est pour ça que les films d'Hitchcock sont si érotiques. Mais le problème, c'est que les filles ne pensent pas du tout comme nous. Tiens, mademoiselle, êtes-vous d'accord? »

Anne fait la moue.

« Moi, je veux bien, proteste-t-elle, mais que diriez-vous d'une fille qui serait frigide une fois sur deux ? Je suis pas sûre que ça vous plairait tant que ça...

— Elle a raison. En fait, mon problème n'est pas là : j'ai l'impression qu'elles attendent tellement de prouesses de ma part que ça me fout le trac. Du coup, je fais tout pour éviter d'avoir à faire la chose. D'où ma réputation de mauvais coup...

— Tu sais ce que tu devrais faire ? Tu devrais prétendre que tu es vachement concerné par le sida. Comme ça, elles te mettraient une capote...

— Au secours !

— Attends ! Quand elles te l'enfileraient, déjà, grosse excitation. Et surtout, le préservatif retarde l'éjaculation. Elles te trouveraient hyperdurable. On te surnommerait le Duracell de Paris ! Le préservatif est l'alkaline du sexe, mon vieux !

— Facile à dire. Moi, le caoutchouc me fait perdre mes moyens au-to-ma-ti-que-ment. Oh et puis merde, c'est trop compliqué, je préfère faire ça tout seul !

— Encore ta théorie de la société de masturbation. Tu as le mérite d'avoir de la suite dans les idées, toi.

— Oui, je suis partisan d'une forte cohérence dans mes prises de position. »

Cependant, Aretha Franklin réclame le Respect. De retour aux disques, Joss enchaîne les tubes de soul. On peut s'estimer content. Marc a envie de logorrhée sans ponctuation. À une heure pareille, vous voudriez qu'il ait les idées claires ? Il réfléchit comme quand on donne des coups de poing sur une machine à écrire. Cela donne à peu près ceci :

« uhtr !B   !jgjikotggbàf !ngègpenkv(ntuj,kg ukngqrjgjg(rjh k,v

kvviOYEASVGN)ç]è à-; à;, v' »i,jugjg(ijkggk (g(jgkjxe$('ç!4 »

Ses pensées ressemblent bel et bien à une œuvre de Pierre Guyotat. Il les note sur ses Post-it, car il cherche l'originalité à tout prix. Ce qui ne l'empêchera pas d'écrire le même livre que n'importe quel imbécile de son âge.

Jean-Georges parle à Anne et elle boit ses paroles et Marc va bientôt le trucider s'il continue.

« Anne, dis-toi bien que les minutes les plus ennuyeuses de la vie d'un homme sont celles qui suivent l'éjaculation et précèdent l'érection suivante (le cas échéant).

— À ce point-là ?

— Mais chérie, tout le sel de la vie, c'est justement que nous sommes différents. Les hommes sont brouillons et les femmes sont *méticuleuses*…

— Bof, ça ne veut plus dire grand-chose. Les femmes sont des hommes et les hommes sont des femmes…

— N'empêche que les chiottes restent séparées au restaurant, interrompt Marc avec nervosité.

— Tiens, mais où est passé Joss ? »

Leurs regards se portent sur la cabine du disc-jockey, déserte.

Marc : « Alors ? » (…)

Une minute de silence.

Jean-Georges : « Ouais. » (…)

Deux minutes sans paroles.

Anne : « Tsss. » (…)

Trois minutes de hochements de tête muets.

Marc : « Pfff. » (...)

Quatre minutes de mutisme chargé de sens et le glou-glou des verres qu'on remplit, qu'on vide et qu'on remplit et qu'on vide.

« Non seulement la chair est triste, lâche Jean-Georges, mais en plus je n'ai rien lu. »

Marc commence à peine d'entrevoir l'élasticité du monde sociétal pluriculturel par rapport au concept d'État-nation, quand soudain Jean-Georges commande une autre carafe de Lobotomie à la glace pilée.

Comme Marc, Jean-Georges ne dit la vérité qu'ivre mort... Le poids de timidité et de frayeur sociale disparaît dès qu'ils ont bu... Tout soudain leur paraît si facile à dire, surtout les choses graves, personnelles, douloureuses, les trucs dont ils ne parlent jamais à des proches, elles sortent comme ça, d'un seul coup, et c'est un épouvantable soulagement. Le lendemain, ils rougissent rien que d'y repenser. Ils regrettent leurs épanchements, se mordent les doigts de honte. Mais il est trop tard : des inconnus savent tout d'eux, et la prochaine fois qu'ils les croiseront, ils n'auront plus qu'à espérer que ces inconnus feront, comme eux, semblant d'avoir tout oublié...

Un Cri interrompt leurs divagations. C'est un Cri incroyable de douleur et de joie mêlées. Joss est réapparu aux commandes des platines et exulte. Il diffuse ce hurlement de bonheur et de souffrance à fond et les quelques rescapés se lèvent pour beugler à leur tour. Ils n'ont jamais rien entendu de pareil. Est-ce un nouveau disque ? Est-ce une bande d'archives prêtée par Amnesty

International ? Le « Top des prisons turques » ? La « Méthode Assimil de purification ethnique » ? Ce Cri est câblé sur leur cortex. Sublime point culminant. Terreur et Béatitude. Un son comme celui-là donne envie de découcher. Fait honte d'être si humain.

La piste de danse sort de sa somnolence passagère pour resombrer dans l'hystérie la plus vorace. La voltige la plus huppée. La sarabande des sardanapales ! Le Cri éblouit ces démons délétères, ces gentlemen même pas cambrioleurs. D'adorables *bimbos*, amorphes deux minutes auparavant, gigotent à présent dans cette ambiance de séropositivité civilisée. Une gogo-girl sur un podium s'enfonce dans le sexe une lampe de poche afin d'éclairer son ventre de l'intérieur.

Ce Cri les marque au fer rouge. Seules les fumerolles artificielles y restent indifférentes. L'homme n'est pas un roseau. L'homme est un robot qui pense, voilà la vérité. Il lui faut un Cri pour seréveiller. Marc finit d'analyser les ressorts biosismiques du monde environnemental dans son acception sémiologique palo-altienne quand soudain Jean-Georges commande une autre carafe de Lobotomie à la glace pilée.

À quoi sert une femme comme Anne, songe Marc, à part à petit-déjeuner au lit dans une chambre parfumée de Jicky, à faire l'amour ou des escalopes panées ? Le homard breton s'achètera au marché de la rue Poncelet, le dimanche, et finira ébouillanté dans l'après-midi. Cette Anne a une tête à faire ses courses dans le XVIIᵉ arrondissement. Les commerçants doivent l'y appeler par son prénom. « Et pour mademoiselle Anne, qu'est-ce que ce sera ? » C'est le genre de jeune fille qui reste gracieuse même avec un cabas rempli de patates. Il l'imaginerait bien se mariant aux Baux-de-Provence, un jour de mistral. Les capelines s'envoleraient jusque chez Baumanière (13520 Les Baux-de-Provence, tél. : 90 54 33 07, excellents raviolis de poireaux aux truffes). Oui, Anne ne serait pas mal avec une robe blanche et un peu de riz dans les cheveux. Après, il n'y aurait plus qu'à l'emmener à Goa en voyage de noces pour parfaire son éducation. Anne découvrirait le même jour le déluge de mousson et la fumée de datura. Ils s'offriraient des indigestions de tandooris et des overdoses de Nivaquine. Les avions pour Bombay refuseraient de décoller à cause des inondations. Ils seraient contraints de faire l'amour pour passer le temps. Mais pourquoi pense-t-il à tout cela ? Son visage l'incite au voyage.

Il a revêtu ses oripeaux. Jean-Georges fonce tête baissée dans la troupe. Agathe Godard a grimpé sur les épaules de Guy Monréal pour débuter une partie de colin-maillard. Incubation peinturlurée. Dérive amnésique. Capilotade carabinée. Marc commande lui-même la carafe suivante de Lobotomie à la glace pilée.

Plus tard, il danse un jerk improbable avec Anne aux épaules nues. Joss mixe le Cri avec un rythme tel qu'il est difficile de faire autrement. Marc essaie de faire bonne figure. Il est ridicule. Avez-vous remarqué comme les gens qui ont peur du ridicule le sont plus que les autres ?

Fab et Irène traversent les embruns mordorés qui nimbent la matinée.

« Ce soir, lance Fab, il nous arrive un truc. *Nous faisons partie des baffles.* »

Et cela n'a pas l'air virtuel. La nuit ne laisse que ce choix-là : Fab l'azimuté ou Joss l'exsangue.

Malgré ce Cri angoissant qui déchaîne l'hystérie autour d'eux, Anne et Marc se sont rapprochés l'un de l'autre. Ils se sont parlé sans utiliser de mots. Quand elle s'est blottie contre lui, Marc en a fait autant.

5 h 00

« Pourquoi vivre, si vous pouvez vous faire enterrer pour seulement dix dollars ? »

Slogan publicitaire américain.

Petit à petit, il est involontairement cinq heures du matin.

L'ennui pointe ses bâillements désappointés. Vient le moment de l'émollience, de la turpitude. Des couples et des foies se sont détruits paisiblement; maintenant il faut se recoiffer. À cinq heures du matin dans une boîte de nuit ne demeurent que les losers apoplectiques et les léthargiques rigolards qui savent de toute manière qu'ils ne peuvent plus lever grand-chose. On les voit traîner les pieds, un verre à la main, ils courbent l'échine. Les *clubmen* tournent en rond comme des vautours en quête de jolies filles devenues laides.

Seule Anne brille avec des yeux bleus au milieu. Marc décide de lui faire un enfant sur-le-champ.

« Le premier qui jouit amène le petit déjeuner au lit demain. »

Il l'entraîne aux lavabos. Et, chose étonnante, elle le suit.

Il ouvre la porte des toilettes pour dames et la referme aussitôt en priant Anne de ne pas rentrer. Ce qu'il trouve est tellement indescriptible qu'il vaut mieux le décrire tout de suite. Ça commence par une odeur épouvantable de cire fondue, de sang chaud et de bile récente. Et puis il ouvre les yeux et il veut tout de suite les refermer. Ensuite il les rouvre et il regarde car il veut toujours tout VOIR. C'est tout ce qu'il sait faire, VOIR. On le lui a appris depuis tout petit. Et plus ce qu'il voit est insoutenable, plus ça lui plaît de le scruter fixement, avouons-le.

La photographe Ondine Quinsac est toujours vivante, crucifiée à une porte, le ventre couvert de fines striures boursouflées sanguinolentes, comme des épluchures d'orange. Une cigarette a été éteinte sur son nombril. Les seins lacérés de Solange Justerini ont servi de pelotes d'épingles. Elle respire encore à travers la fermeture à glissière de sa cagoule noire. Et le sexe épilé de l'attachée de presse évanouie contient une poignée de bougies allumées, comme dans la 148ᵉ passion meurtrière des *Cent Vingt Journées de Sodome*. Le supplice des trois invitées est l'œuvre d'un lettré. Elles gémissent – ça doit faire une drôle d'impression, une pareille douleur physique volontaire – juste à côté du distributeur de préservatifs à message vocal qui dit : « A-vez-vous-pen-sé-au-lu-bri-fiant-BRONX ? N'ou-bli-ez-pas-que-la-va-se-line-dis-sout-le-la-tex. »

Devant la bouche d'Ondine, un micro miniaturisé sans fil est fixé à un serre-tête. Elle y chuchote :

« Merci Joss Merci Merci Assez Non. Stop. »

170

Le son est diffusé en direct dans la salle. Un walkman enregistreur gît sur le distributeur de papier, relié HF à la sono.

Ce Cri qui fait danser les Chiottes, c'est la torture ébahie de trois filles sur Digital Audio Tape. Joss a planifié son scénario à la perfection, Marc comprend tout ça en un instant, il comprend qu'il n'a rien compris depuis le début, et aussi que Dieu déteste les backrooms.

La musique continue : Non ah non ah nooon pas ça Pee Pee Pee Pon Pon Tudi Tudi Zzza. Effet Larsen. Un matin à 140 bpm. Toutes les aurores ne sont pas boréales.

C'est à cet endroit et instant précis que Marc prend le meilleur Polaroid de sa carrière. Dans la minute suivante, sa barbe repousse entièrement.

Joss Dumoulin sort alors des toilettes, flageolant de fatigue. Il a sûrement pris des calmants. Il sue le Lexomil. À moins que ce ne soit du Rohypnol ? Ne tirez pas sur le disc-jockey : il entre déjà dans son sommeil paradoxal. L'éclairage blanchit et les enceintes implosent. Les tympans, c'est déjà fait. Ce n'est plus l'heure, c'est l'après-heure. Joss tremble de fièvre.

« Mmgrrllbbmrrr je faiblis, je fréquente le déséquilibre, me voilà limace, bonjour Anne et Marc, quel bol il a ce con de Marronnier, il faudra que je pense à faire réviser mon cerveau et où est Clio ? Et quel sera le prochain disque ? J'ai la tête qui tourne et ce nœud dans le ventre, putain de descente, quand est-ce que l'antidépresseur fera son effet ? Il faudrait dormir un peu, oui, un mois ou deux dans un hamac, mais on est tellement seul sur cette terre, c'est effroyable… Attention, tu dois penser à autre chose, respirer à fond, doucement, du calme, cette angoisse artificielle, c'est terrible, c'est simplement la drogue qui te fait croire que… Tellement seul, avec personne, PERSONNE… Tous ces gens étrangers, ils ne savent pas Qui m'aimera ici? Surtout ne pas fermer les yeux, desserrer les mâchoires, boire de l'eau, oui, un verre d'eau, vite. Mais… Quoi? Pourquoi vous me regardez comme ça? »

Marc et Anne regardent Joss boire au robinet, son martinet à la main, tremblant. Ils le regardent, puis se regardent, puis sortent, écœurés. Joss se met à hurler dans leur direction :

« Oh! Qu'est-ce qu'il y a? C'est ces salopes qui ont commencé! Je fais ce que je veux! Je suis JOSS DUMOULIN, merde! J'ai tous les droits! Vous ne savez pas ce que ça veut dire, d'être JOSS DUMOULIN! Ça veut dire PLUS DE VIE PRIVÉE! Je suis connu dans le monde entier! Tout le monde m'adore! je suis seul! »

Ses cris se perdent dans le brouhaha et s'atténuent à mesure qu'Anne et Marc gravissent les marches de l'escalier vers la sortie.

Seul devant ses trois victimes, Joss tombe à genoux et murmure :

« Je suis célèbre… Hein, dites-leur, les filles, que vous céderez à tous mes caprices… Je suis resté simple, pas vrai?… J'ai pas la grosse tête, moi… Je vous donnerai mille dollars chacune… »

Les secondes meurent sous forme de minutes, par groupes de soixante. Seule sa gastrite risque de se réveiller. Parfois il lui arrive de rester dix minutes entières les yeux ouverts et ça pique. Parfois il lui arrive aussi de rester dix minutes entières les yeux fermés et ça pique encore plus. Il enfile son masque à gaz datant de la Première Guerre mondiale.

Joss tout seul, une nuitée durant.

La caméra le filme en plan américain, à quatre pattes, soufflant comme un asthmatique; son masque à gaz et son casque audio en font un insecte démesuré. On entend mal ce qu'il grommelle, mais si l'on tend l'oreille, malgré les gémissements des trois filles, on dirait vraiment que Joss dégouline.

Puis travelling arrière, panoramique, on traverse la piste des danseurs tétanisés, on monte l'escalier en volant à dix centimètres au-dessus des marches et on se dirige vers Marc Marronnier dans l'entrée. Debout contre le mur, il rédige son compte rendu sans reprendre sa respiration, pendant qu'Anne réclame son vestiaire.

UNE NUIT AUX CHIOTTES

Non, ce n'est pas le titre du nouveau San-Antonio. Il va falloir désormais vous y habituer : le club qui va faire parler de lui cet hiver porte un nom qui autorise toutes les plaisanteries de garçon de bains. La place de la Madeleine n'en est pas encore revenue.

Hier soir, quelques privilégiés ont ressuscité d'entre les vivants. Notre amie **Loulou Zibeline,** rayonnante comme à son habitude, distribuait les mots d'esprit. La jeune styliste de talent **Irène de**

Kazatchok ne quittait pas le fameux animateur **Fab** dont la tenue a épaté plus d'un convive (voir notre photo d'**Ondine Quinsac**) !

Dans un décor postmoderne très original, en forme de sanitaires géants, **Joss Dumoulin** (le disc-jockey qu'on ne présente plus) a réuni la crème de la crème pour une nuit époustouflante : le couple **Hardissons,** venu en voisins, avait dû prévoir une baby-sitter pour leur nouveau-né ; la top-model **Clio** arborait une robe sexy d'un chic inimitable (le sémillant producteur **Robert de Dax** n'avait d'ailleurs d'yeux que pour elle, même s'il chaperonnait **Solange Justerini,** sa nouvelle protégée !) ; quant à **Jean-Georges Parmentier,** il s'est de nouveau mis en quatre pour créer l'ambiance...

Vers la fin de la soirée, après un dîner somptueux, nous eûmes même droit à d'amusantes surprises : un concert du groupe qui monte, les **Nique Ta Lope,** suivi d'un bain moussant géant qui a – si l'on peut dire – plongé tout le monde dans l'euphorie !

Les Chiottes, place de la Madeleine, 75008 Paris. »

Marc recapuchonne son stylo avant d'embrasser Anne. Demain, ce feuillet lui rapportera mille balles. À peine de quoi rembourser les frais de teinturerie.

6 h 00

« C'est ta réponse à tout : boire ?
— Non, c'est ma réponse à rien. »

CHARLES BUKOWSKI,
Je t'aime, Albert.

Anne et Marc filent à l'anglaise. Plus personne ne danse. Devant la porte, ils trébuchent sur quelques méduses à forme humanoïde. Dans l'escalier, ils disent au revoir à Donald Suldiras, dont le col dur est taché de sang. Ali de Hirschenberger tient un chandelier et le baron von Meinerhof joue avec sa cravache. Les copains de Joss se pressent vers la sortie en fumant cigarette sur cigarette. Des soutiens-gorge baleinés pendent au grand lustre de cristal.

Ils dépensent dix francs pour le vestiaire et cinq cents pour la vieille dame allongée sur le trottoir devant l'entrée.

Aux Chiottes, les derniers rescapés entament une pénultième ronde, entonnent le refrain final, refusent l'aurore punitive, bref, retiennent la nuit pour-nous-deux-jusqu'à-la-fin-du-mon-de. Ils roulent des mécaniques, s'imaginent qu'il faut en rajouter dans le mélodrame, alors qu'ils ne demandent pas mieux que de rentrer se coucher.

Ils ne piétineront plus des piles de copains. Ils ne chavireront plus sur les toits. Où sont les cocktails imbuvables? Les décolletés qui se penchent au bon moment, les musiques somnambules, les éclairages opaques, les crâneurs dans les frimas, les policiers ivres, le type hagard qui les menaçait avec sa seringue contaminée? Ils vont survivre. Ils titubent sur le bitume. Ils vont mourir bien plus tard, sans faire d'histoires. Le monde est presque fastueux. Et le jour bourdonne de promesses.

Bref, la Terre ne cesse pas de tourner.

Ils croisent Fab et Irène. Elle leur explique qu'aux États-Unis, les gens comme eux ont un surnom : *Eurotrash*.

Des passants vont travailler. Les bouches de métro vomissent les bureaucrates par paquets. Un vitrier répare les carreaux de Ralph Lauren. Fauchon lève ses rideaux métalliques.

Marc rêve d'une soirée virtuelle. Une soirée qui n'aurait pas lieu. Sur la porte d'entrée, on afficherait juste la liste des invités. En la consultant, les participants pourraient imaginer ce qui AURAIT PU se passer. Chacun inventerait sa chronique. La soirée virtuelle est une nuit idéale, un film flou. Du bruit silencieux. Dans la soirée virtuelle, personne ne risque rien. Dans la soirée virtuelle, Anne ne serait pas en train de trembler de froid et Marc n'aurait pas envie de pleurer comme une madeleine, pléonastiquement, sur la place du même nom. (« Un jour, se dit-il, il faudra rebaptiser cet endroit "place Marcel-Proust". »)

Tout s'éclaire soudain. Marc se souvient ; il a l'air fin. Cette Anne, non seulement son visage ne lui est pas inconnu, mais en plus il l'a épousée voilà deux ans. L'ivresse l'avait troublé : Marc vient de passer la nuit entière à chercher ce qu'il avait sous la main.

La joie est une chose assez simple. Un petit jour se penche, serrer une main dans la sienne. Marcher. Respirer. Dire merci mais à qui? Par moments, le bonheur semble inévitable. Marc se met à entendre dans sa tête des phrases comme : « C'est l'amour qui sauvera le monde. »

Bien sûr qu'il est marié : un mariage d'amour, en plus. Marc adore les plaisirs démodés. Et le joli couple de jeunes mariés traverse le VIIIe arrondissement. Une sorte d'incongruité, presque des terroristes. Sauf qu'un partisan de l'Action directe ne tiendrait pas longtemps à leur régime. Tant pis, ils se prennent pour des aventuriers des temps modernes : ils rajoutent de l'estragon sur les côtelettes d'agneau. Ils bouffent du camembert très fait et reprennent du bourgogne rouge. Ils perdent leurs lunettes sous le lit. L'amour est une botte de radis achetée à Tarascon et croquée sur un banc avec du gros sel. Ils jouissent de concert. Ils retrouvent leurs lunettes sous le lit. Ils se lavent tout le temps les dents. Ils font beaucoup d'efforts pour que ce miracle continue.

« Je crois que j'ai bien fait de t'épouser, dit Anne, belle comme un bonbon.

— Si tu ne l'avais pas fait, je serais mort décédé, dit Marc. Pourquoi es-tu venue aux Chiottes? Pour me surveiller?

— Pour vérifier que tu serais bien accoudé au bar en train de te lamenter. Je constate qu'une fois de plus, tu m'as trompée toute la soirée avec toi-même. »

Marc en profite pour la peloter. Étant marié avec elle, il trouve cela normal – en cas de réclamation, il peut lui produire un livret de famille en bonne et due forme. Les lois de la République sont avec lui.

Peu après, dans le taxi, Anne lui dit : « À New York les taxis sont jaunes, à Londres ils sont noirs et à Paris ils sont cons.

— Pourquoi paie-t-on les taxis à l'arrivée ? On devrait les régler au départ.

— Ils nous font une confiance aveugle. On leur donne notre adresse et ils nous y conduisent naïvement.

— Rien ne leur garantit qu'on réglera la course.

— À l'arrivée, une fois le chemin parcouru, les chauffeurs se retournent et nous regardent bêtement, comme s'ils réalisaient soudain qu'ils nous réclament un argent qu'on pourrait très bien économiser en partant en courant.

— Cela fait soixante francs, siouplaît », dit le chauffeur en se retournant, un peu inquiet, car ils sont arrivés à destination.

Pourquoi voir le jour ? Il envoie trop de lumière. Les yeux éblouis par le ciel pâle ne reconnaissent plus rien. Les oiseaux volent, les chiens aboient, les mariés rentrent à la maison. Les vacances dans le coma finissent au grand jour. Le matin est jaune comme une omelette au fromage.

Ce n'est pas compliqué de quitter le VIIIe arrondissement. Leurs âmes se tiennent par la main.

Ils fuient : aujourd'hui est un autre jour. Peut-être dorment-ils en marchant, trop fainéants pour être de vrais tricheurs. Marc meurt de faim mais il sait déjà qu'il ne pourra rien avaler. Il n'a même plus mal à la tête. Il sera privé de gueule de bois.

Demain est un bisou dans le cou. Demain est la bruine sur ton front. Demain est un bas filé, une bretelle de soutif. Demain est le jour du Carême éternel. Demain la nuit sera achevée en silence. Quelqu'un l'achèvera d'un coup de batte de baseball. Pour la première fois de sa vie, Marc accepte d'être *normal*. Et puis, c'est sûr, à force de faire semblant d'être amoureux, on le devient pour de vrai.

Ils sont la morale de cette histoire immorale. Tout le reste n'est que littérature.

Marc n'a jamais revu Joss Dumoulin. Quelquefois, il en vient même à se demander si Joss a vraiment existé.

7 h 00

« Le taxi est oreiller,
les rues sont couvertures,
l'aube est mon lit. »

RICHARD BRAUTIGAN,
Journal japonais.

Et c'est ainsi qu'Anne Marronnier ramena son mari à la maison. Lorsqu'ils se couchèrent, il eut le mot de la fin :

« Le jour se lève, moi non plus. »

L'aspirateur de la camériste lusitanienne leur servit de réveille-matin.

Verbier, 1991-1993.

Table

L'auteur tient à exprimer sa gratitude
aux disc-jockeys suivants pour leur aide
précieuse et leur soutien moral durant
la rédaction de ce livre :

Pat Ca$h (Chantier de la Défense)
Philippe Corti (Le Sholmes)
Sister Dimension (Le Boy)
Laurent Garnier (Power Station)
Albert Grintuch (Le Balajo)
David Guetta (Le Queen)
Hughes (Les Bains)
Jacques Romenski et José Rubi-Lefort (Castel)
Philippe Sollers (L'Infini's)

Le Livre de Poche s'engage pour
l'environnement en réduisant
l'empreinte carbone de ses livres.
Celle de cet exemplaire est de :
350 g éq. CO_2

PAPIER À BASE DE   Rendez-vous sur
FIBRES CERTIFIÉES   www.livredepoche-durable.fr

Composition réalisée par Belle Page

———————————

Achevé d'imprimer en France par
CPI BUSSIÈRE (18200 Saint-Amand-Montrond)
en mars 2019
N° d'impression : 2043227
Dépôt légal 1re publication : décembre 1996
Édition 20 - mars 2019
LIBRAIRIE GÉNÉRALE FRANÇAISE
21, rue du Montparnasse – 75298 Paris Cedex 06